LECCIONES PARA CHICAS GUAPAS

Alexander McCall Smith

Lecciones para chicas guapas

Traducción de
Marta Torent López de Lamadrid

áfrica
áfrica áfrica
áfrica áfrica áfrica
áfrica áfrica
áfrica

Argentina • Chile • Colombia • España
Estados Unidos • México • Uruguay • Venezuela

Título original: *Morality for Beautiful Girls*
Editor original: Polygon, Edimburgo
Traducción: Marta Torent López de Lamadrid

Aribau, 142, pral. - 08036 Barcelona
www.umbrieleditores.com

ISBN: 84-95618-40-0
Depósito legal: B. 37.378 - 2004

Fotocomposición: Ediciones Urano, S. A.
Impreso por Romanyà Valls, S. A. - Verdaguer, 1 - 08760 Capellades (Barcelona)

Impreso en España - *Printed in Spain*

Este libro está dedicado a

Jean Denison
y a Richard Denison

1

El mundo a través de los ojos de otra persona

Mma* Ramotswe, hija del fallecido Obed Ramotswe de Mochudi, cerca de Gaborone, en Botsuana, África, era la prometida oficial del señor J. L. B. Matekoni, hijo del fallecido Pumphamilitse Matekoni, de Tlokweng, campesino y más tarde jefe de vigilancia de la Oficina Central de Ferrocarriles. Todo el mundo pensaba que hacían buena pareja; ella era la fundadora y propietaria de la Primera Agencia Femenina de Detectives, la única agencia de detectives de toda Botsuana, tanto para asuntos de hombres como de mujeres; y él, el propietario de Tlokweng Road Speedy Motors, y considerado unánimemente uno de los mejores mecánicos de Botsuana. Siempre era bueno, decía la gente, tener intereses independientes en un matrimonio. Los matrimonios tradicionales, en los que el hombre tomaba todas las decisiones y controlaba la mayoría de los bienes familiares, estaban muy bien para las mujeres que querían pasarse el día cocinando y cuidando de los niños; pero los tiempos habían cambiado, y para las mujeres con estudios que querían hacer algo con sus vidas sin duda era mejor que ambos miembros de la pareja tuvieran sus ocupaciones.

* Mmagosi o mma [plural: bomma] es tratamiento de respeto en setsuana para la mujer. La palabra correspondiente para el hombre es rra. *(N. de la T.)*

Había muchos ejemplos de matrimonios similares. El de mma Maketetse, por ejemplo, que había montado una pequeña fábrica especializada en la confección de pantalones cortos de color caqui para escolares. Había empezado en una habitación pequeña y mal ventilada de la parte trasera de su casa, pero al contratar a sus primas para que cortaran la tela y cosieran había creado uno de los mejores negocios de Botsuana, que, a pesar de la dura competencia de los grandes productores de ropa de El Cabo, exportaba pantalones caqui a Namibia. Se había casado con Cedric Maketetse, que tenía dos tiendas de licor en Gaborone, la capital, y que recientemente había abierto una tercera en Francistown. El periódico local había publicado un artículo un poco comprometedor sobre ellos, cuyo capcioso titular rezaba así: «La fabricante de pantalones cortos completa su operación casándose con un comerciante de bebidas». Ambos eran miembros de la Cámara de Comercio, y todos tenían claro que el señor Maketetse estaba tremendamente orgulloso del éxito empresarial de su mujer.

Naturalmente, una mujer con un negocio próspero tenía que ir con cuidado de que los hombres que la cortejaran no buscaran sólo una forma de vivir con holgura el resto de sus vidas. Había sucedido en numerosas ocasiones, y mma Ramotswe había detectado que las consecuencias que se derivaban de uniones de este tipo eran inevitablemente desastrosas. Los hombres se gastaban el dinero que daban las empresas de sus mujeres en alcohol o en el juego, o intentaban dirigir sus negocios, hundiéndolos en el proceso. Los hombres eran buenos para los negocios, pensó mma Ramotswe, pero las mujeres eran tan buenas como ellos. Las mujeres eran más ahorradoras por naturaleza; tenían que serlo, administraban sus hogares con un bajo presupuesto con el que alimentaban las bocas siempre abiertas de sus hijos. ¡Los niños comían tanto! Por mucha calabaza o gachas que se cocinaran nunca había suficiente para saciar sus estómagos hambrientos. Y en cuanto a los hombres, nunca se los veía más felices que cuando comían enormes cantidades de carne de primera. Resultaba todo bastante desalentador.

—Será un buen matrimonio —comentaba la gente al enterarse de su compromiso con el señor J. L. B. Matekoni—. Es un hombre de fiar, y ella es una mujer estupenda. Serán muy felices dirigiendo sus negocios y bebiendo té juntos.

Mma Ramotswe estaba al corriente del veredicto popular sobre su compromiso y lo compartía. Tras su desastroso matrimonio con Note Mokoti, el trompetista de jazz y mujeriego incorregible, había decidido que nunca más volvería a casarse, pese a las frecuentes proposiciones. De hecho, la primera vez que el señor J. L. B. Matekoni la había pedido en matrimonio, le había dicho que no, para decirle que sí sólo seis meses después. Se había dado cuenta de que el mejor examen para un marido en perspectiva consistía simplemente en hacerse una pregunta muy sencilla, que todas las mujeres —o al menos todas aquellas que hubieran tenido un buen padre— podían formularse y cuya respuesta sabrían en su fuero interno. Ella se había hecho esa pregunta respecto al señor J. L. B. Matekoni, y la respuesta había sido inequívoca.

¿Qué le habría parecido a mi papaíto ya fallecido?, fue la pregunta que se hizo. Y se la hizo después de haberle dicho que sí al señor J. L. B. Matekoni, como cuando uno se pregunta si en un cruce de caminos ha tomado la dirección adecuada. Recordaba dónde había estado en el momento de la pregunta. Estaba dando un paseo nocturno cerca de la presa, por uno de esos caminos que discurrían por aquí y por allí entre espinosos arbustos. De repente se había detenido y había mirado al cielo, ese cielo de un azul pálido y desteñido que de pronto, al aproximarse el atardecer, aparecía veteado de rojo cobrizo. Era un momento tranquilo del día y estaba completamente sola. Por eso hizo la pregunta en voz alta, como si alguien fuera a oírla.

Alzó la vista al cielo, casi esperando que la respuesta estuviera allí. Pero, evidentemente, no fue así; de todas formas, ya la conocía sin necesidad de mirar. En su opinión no cabía ninguna duda de que Obed Ramotswe, que había conocido a toda clase de hombres durante el tiempo que había trabajado en esas lejanas minas y que conocía todas sus debilidades, habría dado su visto bueno al señor J. L. B. Matekoni. En ese caso, no tenía que temer a su futuro marido. La trataría bien.

Ahora, sentada en su despacho de la Primera Agencia Femenina de Detectives con su ayudante, mma Makutsi, la graduada más distinguida de su promoción en la Escuela de Secretariado de Botsuana, mma Ramotswe reflexionó sobre las decisiones que su inminente matrimonio con el señor J. L. B. Matekoni la obligaría a tomar. El tema más urgente, por supuesto, había sido dónde vivirían. Y lo habían decidido con bastante rapidez. Aunque la casa del señor J. L. B. Matekoni, cerca del viejo Botswana Defence Club, era indudablemente atractiva, con su antiguo porche colonial y su reluciente tejado de cinc, no era tan adecuada como su casa de Zebra Drive. La casa del señor J. L. B. Matekoni tenía un patio ralo; de hecho, no era mucho más que una superficie barrida. En cambio, ella tenía una buena colección de papayos, algunas acacias de muy buena sombra y un fructífero campo de melones. Además, en cuanto al interior de la casa, había poco que decir de los espartanos pasillos y las desangeladas habitaciones del señor J. L. B. Matekoni, sobre todo si se comparaban con la distribución de su propia casa. A ella le habría producido gran dolor abandonar su salón, con su cómoda alfombra sobre el suelo de cemento encerado de color rojo, su repisa con su plato conmemorativo de Sir Seretse Khama, Jefe Supremo, estadista y Primer Presidente de Botsuana, y, en el rincón, su máquina de coser de pedal que tan bien funcionaba aún, incluso cuando había un corte de luz que hacía que máquinas más modernas se pararan, silenciosas.

No necesitó hablar mucho del tema. En realidad, la decisión a favor de Zebra Drive ni siquiera tuvo que nombrarse. Después de que mma Potokwani, directora del orfanato, convenciera al señor J. L. B. Matekoni de que adoptara a un niño huérfano y a su hermana inválida, los niños se habían trasladado a la casa de ella, y de inmediato se establecieron allí. Después de aquello se asumió que, a su debido tiempo, toda la familia viviría en Zebra Drive. De momento, el señor J. L. B. Matekoni seguiría viviendo en su propia casa, pero cenaría en Zebra Drive.

Ésa era la parte fácil del asunto, pero aún quedaba el tema del negocio. Mientras mma Ramotswe, sentada frente a su mesa, observaba cómo mma Makutsi volvía y revolvía papeles en el archivador del pequeño despacho, sus pensamientos se centraron en la difícil tarea que se avecinaba. No había sido una decisión fácil, pero ya la había tomado y tendría que mantenerse en sus trece, y llevarla a la práctica. En eso consistían los negocios.

Una de las reglas esenciales para dirigir un negocio era que las instalaciones no se duplicaran innecesariamente. Después de contraer matrimonio tendrían dos empresas en dos locales distintos. Naturalmente, eran dos negocios muy distintos, pero la zona de despacho de Tlokweng Road Speedy Motors era enorme y mma Ramotswe creía que lo más lógico sería llevar su agencia desde allí. Había inspeccionado todo el edificio del señor J. L. B. Matekoni, e incluso se había hecho asesorar por un arquitecto local.

—No habría ningún problema —le había dicho el hombre tras recorrer el taller y la oficina—. Pondría otra puerta en ese lado de ahí. Así sus clientes podrían entrar sin tener que presenciar las grasientas actividades del taller.

Juntar ambos despachos le permitiría a mma Ramotswe dejar su propio local, y el ingreso que se derivara de ello marcaría la diferencia. Por el momento la desagradable verdad de la Primera Agencia Femenina de Detectives era que simplemente no ganaba suficiente dinero. No es que no hubiera clientes —había habido un montón—, era sólo que las investigaciones requerían mucho tiempo, y la gente no podría pagar sus servicios si les cobrara por hora una cantidad de dinero realista. Doscientas pulas por la resolución de una incertidumbre o por encontrar a alguien desaparecido era una cantidad asequible, y normalmente justa, pero cobrar más de mil pulas por hacer lo mismo ya era otra historia. Era preferible la duda al conocimiento seguro, si la diferencia entre ambos era una gran cantidad de dinero.

El negocio podría haberse ido al traste incluso aunque mma Ramotswe no hubiera tenido que pagar el sueldo de mma Makutsi. Al principio la había contratado como secretaria porque consideraba que cualquier negocio que deseara ser tomado en serio debía tener una, pero enseguida se había dado cuenta del talento que yacía detrás de esas enormes gafas. Había ascendido a mma Makutsi a detective adjunta, una posición que le proporcionaba el estatus que ella tanto ansiaba. Pero al mismo tiempo mma Ramotswe se había sentido obligada a incrementarle el salario, aumentando así los números rojos de la cuenta corriente de la agencia.

Había hablado del tema con el señor J. L. B. Matekoni, que se había mostrado de acuerdo con ella en que no tenía muchas opciones.

—Si sigue así —le dijo él seriamente—, acabará haciendo suspensión de pagos. Ha pasado en muchas empresas. Designan a lo que se llama un interventor judicial. Son como buitres, se dedican a dar vueltas y vueltas. Es una desgracia para una empresa.

Mma Ramotswe chasqueó la lengua.

—No quiero que eso suceda —comentó—. Sería un final muy triste para el negocio.

Se habían mirado con tristeza. Entonces el señor J. L. B. Matekoni habló:

—Tendrá que despedirla —concluyó—. Yo también tuve que despedir a varios mecánicos. No es fácil, pero los negocios son así.

—Pero es que estaba tan feliz cuando la ascendí —objetó mma Ramostwe en voz baja—. No puedo decirle de repente que ya no es detective. No tiene a nadie en Gaborone. Su familia es de Bobonong. Creo que son muy pobres.

El señor J. L. B. Matekoni sacudió la cabeza.

—Hay mucha gente pobre —afirmó— que sufre horrores. Pero un negocio no vive del aire. Eso está claro. Tiene que sumar lo que ingresa y a eso restarle lo que gasta. La diferencia son sus beneficios. En su caso hay un signo menos delante de esa cifra. No puede...

—No puedo —le interrumpió mma Ramotswe—, no puedo echarla ahora. Soy como una madre para ella. Desea tanto ser detective..., y está trabajando mucho.

El señor J. L. B. Matekoni se miró los zapatos. Tenía la sospecha de que mma Ramotswe esperaba que propusiera algo, pero no sabía con seguridad qué. ¿Acaso esperaba que le diera dinero? ¿O quería que se hiciera cargo de las facturas de la Primera Agencia Femenina de Detectives, a pesar de haberle dejado muy claro que quería que él siguiera con su taller mientras ella se ocupaba de sus clientes y sus inquietantes problemas?

—No quiero que lo pague usted —soltó mma Ramotswe, mirándole con una firmeza que le hizo temerla y admirarla a la vez.

—Por supuesto que no —se apresuró a decir él—. Ni se me había pasado por la cabeza.

—Por otra parte —prosiguió mma Ramotswe—, usted necesita una secretaria en el taller. Sus facturas siempre están desordenadas, ¿no? No lleva un seguimiento de lo que les paga a los inútiles de sus aprendices. Supongo que también les prestará dinero. ¿Ya lo anota todo?

El señor J. L. B. Matekoni desvió la mirada. ¿Cómo había averiguado que los aprendices le debían más de seiscientas pulas cada uno y que no habían dado señales de podérselas devolver?

—¿Quiere que venga a trabajar aquí? —preguntó, sorprendido por la sugerencia—. ¿Y qué hay de su cargo de detective?

Mma Ramotswe tardó un instante en responder. No tenía nada pensado al respecto, pero ahora un plan empezaba a cobrar forma. Si trasladaban su despacho al taller, mma Makutsi podría seguir siendo detective adjunta y a la vez cubrir las tareas de secretariado que el taller necesitaba. Y el señor J. L. B. Matekoni podía pagarle un sueldo por hacerlo, con lo que las cuentas de la agencia se librarían de gran parte de la carga que soportaban. Eso, sumado al alquiler que cobraría de las oficinas actuales, sanearía considerablemente la situación financiera.

Le explicó su plan al señor J. L. B. Matekoni. Aunque éste siempre había albergado sus dudas acerca de la eficacia de mma Makutsi, entendió lo atractivo de la propuesta de mma Ramotswe, sin dejar a un lado el hecho de que a ella la haría feliz. Y sabía que eso era lo que él quería por encima de todo.

Mma Ramotswe se aclaró la garganta.

—Mma Makutsi —empezó diciendo—, he estado pensando en el futuro.

Mma Makutsi, que ya había acabado de reordenar el archivador, había preparado un par de tazas de té de rooibos —té que se extrae de un arbusto que crece exclusivamente en Suráfrica— y se disponía a hacer su descanso habitual de once a once y media. Había empezado a leer una revista —un viejo ejemplar del *National Geographic*— que su primo, que era profesor, le había prestado.

—¿En el futuro? Sí, siempre resulta interesante, pero no creo que tanto como el pasado. Hay un artículo magnífico en esta revista —explicó—, ya se lo pasaré cuando acabe de leerlo, que habla de nuestros antepasados del este de África. Allí hay un tal doctor Leakey, un médico de huesos muy famoso.

—¿De huesos? —Mma Ramotswe estaba perpleja. Mma Makutsi hablaba muy bien tanto en inglés como en setsuana, pero en ocasiones usaba expresiones bastante raras. ¿Qué era un médico de huesos? ¿No sería algo parecido a un hechicero? No, seguro que al doctor Leakey no podía calificársele de hechicero.

—Sí —contestó mma Makutsi—. Sabe todo sobre huesos muy antiguos. Los desentierra y nos explica cosas de nuestro pasado. Mire esta foto.

Sostuvo en alto la fotografía, impresa a dos páginas. Mma Ramotswe forzó la vista para entender qué era. Se había dado cuenta de que sus ojos ya no eran los de antaño y tenía miedo de acabar más tarde o más temprano como mma Makutsi, llevando unas gafas tremendamente grandes.

—¿Es el doctor Leakey?

Mma Makutsi asintió.

—Sí, mma —respondió—, es él. En la mano sujeta un cráneo que perteneció a alguien hace muchos años. Alguien que vivió hace mucho tiempo y que está muy muerto.

Mma Ramotswe se sintió atraída por el tema.

—Y esta persona que está muy muerta —dijo—, ¿quién era?

—Según la revista vivió cuando en África había muy poca población —explicó mma Makutsi—. Por aquel entonces todos vivíamos en el este de África.

—¿Todos?

—Sí, todos. Mi familia, la suya, todo el mundo. Todos descendemos del mismo reducido grupo de antepasados. El doctor Leakey lo ha demostrado.

Mma Ramotswe estaba pensativa.

—Entonces, en cierto modo, ¿todos somos hermanos?

—Así es —contestó mma Makutsi—. Todos somos iguales, los esquimales, los rusos, los nigerianos. Son como nosotros. Tenemos la misma sangre, el mismo ADN.

—¿ADN? —preguntó mma Ramotswe—. ¿Qué es eso?

—Es lo que usó Dios para crear al hombre —le contó mma Makutsi—. Todos estamos hechos de ADN y agua.

Durante unos instantes mma Ramotswe reflexionó sobre lo que esas revelaciones implicaban. No tenía una opinión formada sobre los esquimales y los rusos, pero los nigerianos eran otra historia. Aunque mma Makutsi tenía razón, pensó: si la fraternidad universal significaba algo, tendría que incluir también a los nigerianos.

—Si la gente supiera esto —apuntó—, si supiera que todos descendemos de la misma familia, las personas se tratarían unas a otras con más cariño, ¿no cree?

Mma Makutsi dejó la revista.

—Seguro que sí —respondió—. Si lo supieran, les costaría mucho portarse mal con los demás. Incluso tal vez quisieran ayudar un poco más al prójimo.

Mma Ramotswe estaba en silencio. Mma Makutsi no se lo había puesto fácil, pero el señor J. L. B. Matekoni y ella habían tomado una decisión y no tenía más remedio que darle la mala noticia.

—Todo esto es muy interesante —dijo, intentando sonar convincente—. Cuando pueda, leeré más cosas sobre el doctor Leakey, pero en este momento tengo que invertir todo mi tiempo en arreglármelas para que este negocio siga funcionando. Como sabe, los números no cuadran. Nuestras finanzas no son como las que aparecen publicadas en los periódicos; sí, ya sabe, ésas que tienen dos columnas, una de ingresos y otra de gastos, y esta segunda siempre es menor que la primera. En este negocio sucede al revés.

Hizo una pausa para observar el efecto que sus palabras producían en mma Makutsi. Con esas gafas, resultaba difícil adivinar qué pensaba.

—De modo que voy a tener que hacer algo —prosiguió mma Ramotswe—; de lo contrario, vendrá un interventor judicial o el banco nos quitará el local. Eso es lo que pasa con los negocios que no obtienen beneficios. Es terrible.

Mma Makutsi miraba a su mesa fijamente. Luego levantó la vista y miró a mma Ramotswe, y durante un instante las ramas del espino que había detrás de la ventana se reflejaron en sus gafas. A mma Ramotswe le pareció desconcertante; era como ver el mundo tal como lo veía otra persona. Mientras pensaba esto, mma Makutsi movió la cabeza, y mma Ramotswe vio durante unos segundos su propio vestido rojo reflejado.

—Lo hago lo mejor que puedo —confesó mma Makutsi en voz baja—. Espero que me dé una oportunidad. Soy muy feliz con mi trabajo de detective adjunta. No quiero pasarme el resto de mi vida siendo una simple secretaria.

Se calló y miró a mma Ramotswe. ¿Cómo debía de ser, pensó mma Ramotswe, ser mma Makutsi, haberse graduado en la Escuela de Secretariado de Botsuana con un promedio de noventa y siete por ciento en el examen final, y, sin embargo, estar sola, a excepción de algunos familiares en la lejana Bobonong? Sabía que mma Makutsi les mandaba dinero porque la había visto una vez en correos efectuando un giro postal de cien pulas. Suponía que estaban al tanto de su ascenso y que se sentían orgullosos de que a su sobrina, o lo que sea que fuera, le fuese tan bien en Gaborone, mientras que la verdad era que seguía contratada por compasión y que era mma Ramotswe quien, en realidad, mantenía a esa gente de Bobonong.

Dirigió la mirada hacia la mesa de mma Makutsi y la todavía desplegada foto del doctor Leakey, que sujetaba el cráneo. El doctor miraba al frente, la miraba directamente a ella; parecía que le estuviera diciendo: «Y bien, mma Ramotswe, ¿qué me dice de su ayudante?».

Se aclaró la garganta.

—No se preocupe —le dijo—. Seguirá siendo detective adjunta, pero necesitaremos que se ocupe de otras cosas cuando nos traslademos a Tlokweng Road Speedy Motors. El señor J. L. B. Matekoni necesita ayuda con el papeleo. Será secretaria y detective adjunta a la vez. —Hizo una pausa y luego se apresuró a añadir—: Pero puede considerarse una detective adjunta, ése será su cargo oficial.

Durante el resto del día mma Makutsi permaneció más callada que de costumbre. Por la tarde le preparó el té a mma Ramotswe en silencio, dándole la taza sin decir nada, pero al final de la jornada parecía que había aceptado su destino.

—Supongo que el despacho del señor J. L. B. Matekoni estará desordenado —comentó—. No me lo imagino ocupándose del papeleo. A los hombres no les gusta esa clase de cosas.

Mma Ramotswe se sintió aliviada por el cambio de tono.

—Está muy desordenado —repuso—. Le hará un gran favor poniendo orden.

—Nos enseñaron a hacerlo en la Escuela —explicó mma Makutsi—. Un día nos enviaron a un despacho que estaba en muy mal estado y tuvimos que ordenarlo. Éramos cuatro, yo y tres chicas muy guapas. Ellas tres se pasaron todo el tiempo hablando con los hombres que había allí mientras yo hacía todo el trabajo.

—Ya —dijo mma Ramotswe—, me lo puedo imaginar.

—Trabajé hasta las ocho de la noche —continuó mma Makutsi—. Las demás se fueron a las cinco de la tarde con los hombres a un bar y me dejaron allí. A la mañana siguiente, el director de la Escuela nos dijo que habíamos hecho un trabajo excelente y que nos darían un sobresaliente a todas. Las otras chicas estaban muy contentas. Me dijeron que, aunque yo era la que más había ordenado, ellas habían hecho la parte más difícil del trabajo, impedir que los hombres se metieran por medio. Lo dijeron realmente en serio.

Mma Ramotswe cabeceó.

—Esas chicas son unas inútiles —espetó—. Hoy en día hay demasiada gente así en Botsuana. Pero al menos usted sabe que ha triunfado. Es una detective adjunta, ¿y qué son ellas? Supongo que nada.

Mma Makutsi se sacó sus enormes gafas y limpió cuidadosamente los cristales con la esquina de su pañuelo.

—Dos de ellas se han casado con hombres muy ricos —le contó—. Viven en grandes casas cerca del Sun Hotel. Las he visto paseando con sus caras gafas de sol. La tercera se fue a Suráfrica y es modelo. La he visto en una revista. Está felizmente casada con un fotógrafo que trabaja para esa revista y que también tiene mucho dinero. Le llaman Polaroid Khumalo. Es muy guapo y muy conocido.

Volvió a ponerse las gafas y miró a mma Ramotswe.

—Algún día usted encontrará marido —le aseguró mma Ramotswe—. Será un hombre muy afortunado.

Mma Makutsi sacudió la cabeza.

—No creo que lo encuentre —repuso—. Todo el mundo sabe que no hay suficientes hombres en Botsuana. Están todos casados, no hay ninguno libre.

—Bueno, tampoco es necesario que se case —sugirió mma Ramotswe—. Actualmente las solteras pueden vivir muy bien. Yo estoy soltera. No estoy casada.

—Pero va a casarse con el señor J. L. B. Matekoni —le recordó mma Makutsi—. No estará soltera mucho tiempo. Podría...

—Pero no necesitaba casarme —la interrumpió mma Ramotswe—. Sola era feliz. Podría haber seguido así.

Hizo una pausa. Se fijó en que mma Makutsi se había vuelto a sacar las gafas y las estaba limpiando de nuevo. Se le habían empañado.

Mma Ramotswe reflexionó unos instantes. Nunca había sido capaz de ver a alguien infeliz y no hacer nada al respecto. Era una virtud difícil para una detective privada, ya que había mucha infelicidad vinculada a su trabajo, pero por mucho que lo intentara no podía endurecer su corazón.

—¡Ah..., otra cosa! —exclamó—. No le he dicho que en su nuevo trabajo su cargo será el de directora adjunta de Tlokweng Road Speedy Motors. No será sólo secretaria.

Mma Makutsi alzó la vista y sonrió.

—¡Qué bien! —dijo—. Es usted muy buena conmigo, mma.

—Y ganará más dinero —añadió mma Ramotswe, que olvidó la cautela—. No mucho más, pero sí un poco. Así podrá enviarles algo más de dinero a sus familiares de Bobonong.

A mma Makutsi pareció alegrarle bastante esta noticia, y la última tarea del día, pasar a máquina varias cartas que mma Ramotswe había escrito a mano, la hizo con deleite. Era mma Ramotswe la que ahora parecía malhumorada. Decidió que la culpa era del doctor Leakey. De no haber surgido en la conversación, podría haber sido más dura. Porque no sólo había vuelto a ascender a mma Makutsi, sino que le había aumentado el sueldo sin consultarlo con el señor J.

L. B. Matekoni. Evidentemente, tendría que contárselo, pero puede que aún no. Había momentos para dar noticias comprometidas, y tendría que esperar el adecuado. De vez en cuando los hombres bajaban la guardia, y la manera de que una mujer triunfara y derrotara a un hombre en su propio juego, era esperar a que llegara el momento. Una vez llegado, un hombre podía ser manipulado sin mucha dificultad. Pero había que esperar.

Pula le encantaba dejar que tal creencia se perpetuara. La lluvia
traía buena suerte; de ahí la expresión: «¡Pula! ¡Pula! ¡Pula!» cuando se celebraba o invocaba la buena suerte. Era un hombre de cara
alargada, tenía la piel curtida y con pecas causadas por el sol, la piel

2

Un niño en la noche

Habían acampado en el Okavango, en las afueras de Maun, bajo un manto de imponentes árboles mopani. Al norte, a unos escasos ochocientos metros de distancia se extendía el lago, una banda azul en medio del marrón y verde de la sabana. Aquí la hierba era gruesa y espesa, había una buena cobertura para los animales. Si uno quería ver un elefante, había que fijarse, porque la frondosidad de la vegetación hacía difícil incluso divisar sus voluminosos cuerpos grises mientras caminaban lentamente sobre la hierba.

El campamento, una colección semipermanente de cinco o seis tiendas de campaña grandes colocadas en semicírculo, pertenecía a un hombre al que conocían como rra Pula, señor Rain, debido a la creencia, empíricamente verificada en numerosas ocasiones, de que su presencia traía tanta lluvia [*rain*] como fuera necesaria. A rra Pula le encantaba dejar que tal creencia se perpetuara. La lluvia traía buena suerte; de ahí la expresión: «¡Pula! ¡Pula! ¡Pula!» cuando se celebraba o invocaba la buena suerte. Era un hombre de cara alargada, tenía la piel curtida y con pecas causadas por el sol, la piel de la persona blanca que lleva toda su vida bajo un sol africano. Las pecas y manchas se habían convertido en una sola, por lo que todo él era marrón, como una galleta descolorida que se ha metido en el horno.

—Poco a poco se ha ido convirtiendo en uno de nosotros —dijo uno de sus hombres mientras se sentaban una noche alrededor de la hoguera—. Un día se levantará siendo un motsuano, tendrá el mismo color que nosotros.

—Uno no se vuelve motsuano sólo por cambiar el color de su piel —replicó otro—. Un motsuano es un motsuano por dentro. Un zulú es como nosotros por fuera, pero por dentro será siempre un zulú. Tampoco se puede convertir un zulú en un motsuano. Son diferentes.

Reinó el silencio alrededor de la hoguera mientras reflexionaban sobre este tema.

—Son muchas las cosas que hacen de nosotros lo que somos —comentó por fin uno de los rastreadores—, pero lo más importante es el útero de la madre. De ahí obtenemos la leche que nos convierte en motsuanos o en zulúes. Si la leche es motsuana, el niño es motsuano. Si la leche es zulú, el niño es zulú.

—No hay leche en el útero —dijo uno de los hombres más jóvenes—. No funciona así.

El hombre mayor le miró con fijeza.

—Entonces, ¿qué se come durante los primeros nueve meses, don Listo? ¿Insinúas que nos comemos la sangre de nuestras madres, don Científico? ¿Es eso lo que estás diciendo?

El joven sacudió la cabeza.

—No sé con seguridad qué comemos —contestó—, pero lo que sí sé es que no tomamos leche hasta que nacemos.

El hombre mayor le miró con desdén.

—No te enteras de nada. No tienes hijos, ¿verdad? ¡Qué sabrás tú! Un hombre sin hijos que habla de ellos como si tuviera un montón. Yo tengo cinco hijos, cinco.

Le enseñó los dedos de una mano.

—Cinco hijos —repitió—. Y los cinco se formaron gracias a la leche de su madre.

Se quedaron callados. En la otra hoguera, sentados en sillas y no sobre troncos, estaban rra Pula y sus dos clientes. El sonido de sus voces, un murmullo ininteligible, había llegado hasta los hombres, pero ahora estaban en silencio. De repente rra Pula se levantó.

—Ahí fuera hay algo —dijo—. Tal vez sea un chacal. A veces se acercan bastante al fuego. Los demás animales suelen mantenerse a distancia.

Uno de sus clientes, un hombre de mediana edad que llevaba puesto con desgarbo un sombrero de anchas alas, se levantó y clavó la vista en la noche.

—¿Vendría hasta aquí un leopardo? —preguntó.

—Nunca —respondió rra Pula—, son criaturas muy tímidas.

Una mujer, que estaba sentada en una silla de lona plegable, volvió la cabeza bruscamente.

—Estoy segura de que ahí hay algo —comentó—. Escuchen.

Rra Pula dejó la taza que había estado sosteniendo y avisó a sus hombres.

—¡Simon! ¡Motopi! Que uno de los dos me traiga la linterna. ¡Deprisa!

El más joven se levantó y se dirigió con rapidez a la tienda donde tenían el equipo. Mientras corría para dársela a su jefe, él también oyó el ruido y encendió la potente linterna, enfocando con el haz de luz el círculo oscuro que rodeaba el campamento. Vieron las siluetas de los arbustos y de los árboles pequeños, todos curiosamente planos y unidimensionales a la indagatoria luz de la linterna.

—¿No lo ahuyentará la luz? —preguntó la mujer.

—Tal vez —contestó rra Pula—, pero será mejor no tener sorpresas.

La luz se movió de un lado a otro y ascendió brevemente para iluminar las hojas de un espino. Luego descendió hasta el suelo y allí lo vieron.

—¡Es un niño! —exclamó el hombre del sombrero—. ¿Un niño? ¿Aquí?

El chico estaba a gatas. Sorprendido por la luz de la linterna, parecía un animal frente a las luces de un coche, paralizado por la indecisión.

—¡Motopi! —gritó rra Pula—. ¡Cójalo y tráigalo aquí!

El hombre de la linterna se apresuró entre la hierba sin dejar de enfocar al niño. Al cogerlo, éste de repente intentó con un movimiento brusco esconderse en la oscuridad, pero al parecer algo se lo impidió, porque tropezó y se cayó. Cuando el hombre alargó el brazo para alcanzarle se le cayó la linterna, que despidió un agudo sonido al estrellarse contra una roca y apagarse. Pero para entonces ya tenía al niño, que daba patadas y se agitaba, y lo había levantado del suelo.

—No te resistas, pequeño —le advirtió en setsuana—. No voy a hacerte daño. No voy a hacerte daño.

El chico le dio una patada al hombre en el estómago.

—¡No hagas eso! —Sacudió al niño y, agarrándole con una sola mano, le dio una fuerte bofetada en el hombro—. ¡Te lo mereces por haberme dado una patada! ¡Y si no te andas con ojo, volverás a recibir!

El niño, sorprendido por la bofetada, dejó de forcejear y se relajó.

—Hay algo más —musitó el hombre mientras caminaba hacia la hoguera de rra Pula—. Su olor.

Dejó al chico en el suelo, junto a la mesa sobre la que estaba el quinqué; pero siguió agarrándole por la muñeca, no fuera que intentara escaparse o dar una patada a alguno de los hombres blancos.

—De modo que éste es nuestro chacal —comentó rra Pula mientras miraba al chico.

—Está desnudo —constató la mujer—. No lleva nada encima.

—¿Qué edad tendrá? —preguntó uno de los hombres—. No creo que más de seis o siete años, como mucho.

Rra Pula levantó la lámpara y la acercó al muchacho, iluminando una piel que parecía llena de marcas causadas por diminutas cicatrices y arañazos, como si le hubieran arrastrado por un arbusto de espinas. Tenía la barriga retraída y se le marcaban las costillas; las nalgas estaban contraídas y sin carne, y en un pie, de lado a lado del arco, tenía una herida abierta, de contorno blanco y centro oscuro.

El niño alzó la vista y miró a la luz, pero apartó la vista enseguida, intentando librarse del reconocimiento.

—¿Cómo te llamas? —le preguntó rra Pula en setsuana—. ¿De dónde eres?

El chico miró fijamente a la luz, pero no respondió.

—Inténtelo en kalanga —le sugirió rra Pula a Motopi—. Inténtelo en kalanga y luego en herero, Motopi. Tal vez sea un herero, o un mosaruo. En una de esas lenguas le entenderá. Intente sonsacarle algo.

El hombre se puso en cuclillas para estar a la altura del niño. Empezó por una de las lenguas, vocalizando las palabras, y luego, al no obtener reacción, pasó a la otra. El chico seguía mudo.

—No creo que sepa hablar —concluyó—. Me temo que no entiende lo que le digo.

La mujer avanzó hacia el niño y alargó el brazo para tocarle el hombro.

—Pobrecito —se lamentó—. Cualquiera diría que...

Soltó un chillido y retiró la mano de golpe. El niño la había mordido.

El hombre agarró al niño del brazo derecho y lo tiró al suelo. Después, inclinándose sobre él, le pegó con fuerza en la cara.

—¡No! —le gritó—. ¡Eso no se hace!

La mujer, furiosa, apartó al hombre.

—¡No le pegue! —chilló—. ¿No ve que está asustado? No lo ha hecho a propósito. No tenía que haber intentado tocarle.

—No está bien que un niño vaya por ahí mordiendo a la gente, mma —insistió el hombre en voz baja.

La mujer se había vendado la mano con un pañuelo, pero una pequeña mancha de sangre lo había traspasado.

—Le daré penicilina —afirmó rra Pula—. Una mordedura humana puede ponerse fea.

Miraron al chico, que ahora yacía estirado, como si se dispusiese a dormir, pero con la vista levantada; los estaba observando.

—Este niño desprende un olor muy raro —declaró Motopi—. ¿No lo ha notado, rra?

Rra Pula inspiró.

—Sí —respondió—, quizás sea por la herida. Está supurando.

—No —repuso Motopi—, tengo muy buen olfato. La herida la huelo, pero huele a algo más. A algo nada habitual en los niños.

—¿A qué? —quiso saber rra Pula—. ¿Lo reconoce?

Motopi asintió.

—Sí —contestó—. Huele a león. No hay nada más que huela así. Sólo los leones tienen ese olor.

Durante un momento nadie dijo nada. Entonces rra Pula se echó a reír.

—Lo arreglaremos con un poco de agua y jabón —manifestó—. Y algo para esa herida que tiene en el pie. Con polvos de azufre se secará.

Motopi levantó al niño del suelo con cuidado. Éste le miró fijamente, y se encogió, pero no se resistió.

—Lávelo y lléveselo a su tienda —ordenó rra Pula—. No le deje escapar.

Los clientes retomaron sus asientos alrededor de la hoguera. La mujer miró al hombre, quien arqueó las cejas y se encogió de hombros.

—¿De dónde diantres ha salido? —le preguntó a rra Pula, que estaba atizando el fuego con un palo socarrado.

—Supongo que de algún pueblo de por aquí —contestó él—. El más cercano está a unos treinta kilómetros en esa dirección. Probablemente se trate de un vaquero que se ha perdido por la sabana. Pasa de vez en cuando.

—Pero ¿por qué no lleva ropa?

Rra Pula se encogió de hombros.

—A veces los vaqueros llevan únicamente un pequeño taparrabo. Debió de perderlo en algún arbusto espinoso. A lo mejor lo dejó en alguna parte.

Miró a la mujer.

—Estas cosas pasan muy a menudo en África. Desaparecen un montón de niños. Luego los encuentran. No les pasa nada. No estará preocupada por él, ¿verdad?

La mujer frunció las cejas.

—¡Pues claro que sí! Podría haberle sucedido cualquier cosa, cualquier cosa. ¿Qué me dice de los animales salvajes? Podría haberle atacado un león.

—Sí —afirmó rra Pula—, podría, pero no ha sido así. Mañana le llevaremos a la policía de Maun. Ellos se ocuparán del tema. Averiguarán su procedencia y lo llevarán a su casa.

La mujer parecía pensativa.

—¿Por qué uno de sus hombres ha dicho que olía como un león? ¿No le ha extrañado que dijera eso?

Rra Pula se rió.

—En esta zona la gente dice cosas muy raras. Ven las cosas de otra manera. Ese hombre, Motopi, es un magnífico rastreador, pero suele hablar de los animales como si fueran seres humanos. Dice que se comunican con él. Y asegura que puede oler el miedo de un animal. Así es como habla, sí, simplemente habla así.

Permanecieron un rato en silencio, y luego la mujer anunció que se iba a acostar. Le dieron las buenas noches, y rra Pula y el hombre siguieron alrededor de media hora más sentados frente al fuego, hablando poco, y contemplando cómo los troncos eran lentamente consumidos y las chispas ascendían hacia el cielo. En su tienda, Motopi estaba echado de través frente a la entrada para que el niño no pudiera salir sin que él se enterase. Pero no parecía probable que fuera a hacerlo; se había quedado dormido en cuanto se había tumbado. Ahora Motopi, casi a punto de dormirse, le vigilaba con un ojo sobre el que pesaba el párpado. El niño, tapado con una delgada manta de piel, respiraba profundamente. Le habían dado un trozo de carne, que había comido ávidamente, y un gran vaso de agua, que había bebido con ansia a lengüetazos, como un animal. Ese olor extraño aún no se había ido, pensó, ese olor húmedo y acre que tanto le recordaba el de un león. «Pero ¿por qué iba un niño a oler a león?», se preguntó.

3

Asuntos del taller

Mientras se dirigía hacia Tlokweng Road Speedy Motors, mma Ramotswe decidió que simplemente le confesaría todo al señor J. L. B. Matekoni. Era consciente de que había abusado de su autoridad ascendiendo a mma Makutsi a directora adjunta del taller—a ella le habría molestado enormemente que él hubiera intentado ascender a sus propios empleados—y se había dado cuenta de que tendría que contarle qué había pasado exactamente. El señor J. L. B. Matekoni era una buena persona, y aunque siempre había pensado que mma Makutsi era un lujo que mma Ramotswe apenas podía permitirse, seguramente entendería lo mucho que significaba para ella dar cierta imagen. Al fin y al cabo, no tenía ninguna importancia que mma Makutsi se considerara directora adjunta, siempre y cuando cumpliera con su trabajo. Claro que además estaba el problema del aumento de salario. Eso sería más difícil.

A última hora de aquella tarde mma Ramotswe se dirigió a Tlokweng Road Speedy Motors en la pequeña furgoneta blanca que el señor J. L. B. Matekoni le había arreglado recientemente. Ahora que dedicaba tantos ratos libres a arreglarle el motor, la furgoneta funcionaba bien. Le había cambiado muchas piezas por otras nuevas que había hecho traer del otro lado de la frontera. Le había cambiado el carburador, por ejemplo, y le había puesto un juego de frenos completamente nuevo. Ahora a mma Ramotswe le bastaba con tocar el pedal del freno para que la furgoneta se detuviera. En el pasado, antes de que el señor J. L. B. Matekoni se interesara tanto por su furgoneta, había tenido que pisar el freno tres o cuatro veces sólo para que el vehículo empezara a disminuir su velocidad.

—Creo que ya no volveré a darle a nadie por detrás —había comentado una mma Ramotswe agradecida la primera vez que probó los nuevos frenos—. Podré parar exactamente donde quiera.

El señor J. L. B. Matekoni se había alarmado.

—Es muy importante tener unos buenos frenos —había dicho—. No vuelva a dejar que lleguen a ese estado. Avíseme y yo me aseguraré de que están perfectos.

—Lo haré —le había prometido ella.

Mma Ramotswe tenía muy poco interés en los coches, aunque quería con locura a su pequeña furgoneta blanca, que tan leal le había sido. No podía entender por qué la gente ansiaba tanto un Mercedes-Benz, cuando había muchos otros coches que le llevaban y le traían a uno de vuelta sin pagar por ello una fortuna y de forma segura. Tanto interés por los coches era un problema masculino, pensó. Empezaba a desarrollarse cuando los niños eran pequeños y ellos mismos se fabricaban coches con alambres, y ya nunca se iba del todo. ¿Por qué tanto interés por los coches? Un coche no era más que una máquina y, por esa misma regla de tres, cualquiera podría pensar que también les interesaban las lavadoras o las planchas, pero no. Uno nunca se encontraba a un hombre que hablara por ahí de lavadoras.

Se acercó hasta la entrada de Tlokweng Road Speedy Motors y bajó de la furgoneta blanca. A través de la pequeña ventana que daba a la parte delantera vio que no había nadie en el despacho, por lo que el señor J. L. B. Matekoni estaría probablemente en el taller debajo de algún coche o supervisando a sus dos obstinados aprendices mientras intentaba explicarles algún tema espinoso de mecánica. Le había confesado a mma Ramotswe su desesperación por no poder sacar provecho de esos chicos, y a ella le había dado pena. No era fácil intentar convencer a los jóvenes de la necesidad de trabajar; querían que se les sirviera todo en bandeja. Ninguno parecía entender que todo lo que había en Botsuana —que era mucho— se había conseguido gracias al trabajo duro y al sacrificio. Botsuana nunca había recibido un préstamo ni se había endeudado como muchos otros países de África. Había ahorrado sin cesar y había gastado con suma cautela; se había dado cuenta de cada centavo, de cada thebe; los políticos no se habían metido nada en los bolsillos. «Podemos estar orgullosos de nuestro país —pensó mma Ramotswe—, y yo lo estoy. Estoy orgullosa de lo que hizo mi padre, Obed Ramotswe; de Seretse Khama y de cómo creó un país de un lugar que había sido ignorado por los británicos. Puede que no les importáramos demasiado —se dijo—, pero ahora se han dado cuenta de lo que somos capaces y nos admiran por ello.» Había leído lo que había dicho el embajador de Estados Unidos: «Admiramos al pueblo de Botsuana por lo que ha hecho», había declarado. Sus palabras la habían llenado de orgullo. Sabía que la gente de ultramar, la que vivía en esos lejanos y ciertamente temibles países, tenía un gran concepto de Botsuana.

Ser africano estaba bien. En África pasaban cosas terribles, cosas de las que uno se avergonzaba y cuyo mero pensamiento resultaba desesperante, pero eso no era lo único que había en África. A pesar del enorme sufrimiento de los africanos, a pesar de la horrible crueldad y del caos creado por los soldados —en realidad, niños con pistolas—, seguía habiendo muchas cosas en África de las que uno podía sentirse verdaderamente orgulloso. Por ejemplo, de la amabilidad y la capacidad de sonreír, y del arte y la música.

Dio la vuelta hasta la entrada del taller. Había dos coches dentro, uno subido a la rampa y otro aparcado delante de una pared con la batería conectada a un pequeño cargador a través de la rueda delantera. Había muchas piezas en el suelo —un tubo de escape y algo más que no reconocía—, y una caja de herramientas abierta debajo del coche que estaba en la rampa. Pero no había ni rastro del señor J. L. B. Matekoni.

No fue hasta que uno de ellos se levantó que mma Ramotswe se dio cuenta de que los aprendices estaban ahí. Estaban sentados en el suelo, apoyados contra un barril de aceite vacío, jugando a las tradicionales canicas. Ahora uno de ellos, el más alto de los dos y cuyo nombre nunca recordaba, se había levantado y se estaba limpiando las manos en su sucio mono.

—Hola, mma —saludó—. El jefe no está aquí. Se ha ido a casa.

El aprendiz le sonrió de una forma que ella encontró ligeramente ofensiva. Era una sonrisa confiada, de ésas que uno le dedicaría a una chica en un baile. Conocía a estos jóvenes. El señor J. L. B. Matekoni le había explicado que lo único que les interesaba eran las chicas, algo de lo que a ella no le cabía la menor duda. Y lo penoso del asunto era que debía de haber un montón de chicas interesadas en ellos, con su pelo lleno de gomina y sus relucientes sonrisas blancas.

—¿Por qué se ha ido a casa tan pronto? —preguntó—. ¿Ya habéis acabado el trabajo? ¿Por eso estáis sentados?

El aprendiz sonrió. Se comportaba como si supiera algo, y mma Ramotswe se preguntó qué sería. ¿O era simplemente su sentido de la superioridad, la actitud condescendiente que tal vez adoptaba con todas las mujeres?

—¡No, qué va! —contestó, mirando a su amigo—. Aún tenemos que arreglar ese coche de ahí. —Señaló con indiferencia el coche que estaba en la rampa.

Entonces se levantó el otro aprendiz. Había estado comiendo algo y tenía un cerco de harina alrededor de la boca. «¿Qué dirían de esto las chicas?», pensó mma Ramotswe con malicia. Se lo imaginó desplegando sus encantos con alguna chica, feliz y ajeno al hecho de que tenía harina alrededor de la boca. Tal vez fuera atractivo, pero con una línea blanca alrededor de los labios produciría más risas que aceleración del pulso.

—El jefe no viene mucho por aquí últimamente —comentó el segundo aprendiz—. A veces se va a las dos de la tarde y nos deja con todo el trabajo.

—Y hay un problema —intervino su compañero—. Nosotros solos no podemos con todo. Verá, se nos dan bastante bien los coches, pero aún no lo hemos aprendido todo.

Mma Ramotswe levantó la vista hacia el coche de la rampa. Era una de esas viejas camionetas francesas tan famosas en algunas partes de África.

—Ese vehículo, por ejemplo —apuntó el primer aprendiz—. Su tubo de escape saca humo y el humo forma grandes nubes. Eso significa que una arandela se ha soltado y que el refrigerante se está metiendo en la cámara de los pistones. Por eso se produce el humo. ¡Ufff! Un montón de humo.

—Bien —repuso mma Ramotswe—, ¿y por qué no lo arregláis? No pretenderéis que el señor J. L. B. Matekoni esté todo el rato encima de vosotros.

El aprendiz más joven frunció la boca.

—¿Se cree que es fácil, mma? ¿Se cree que es fácil? ¿Ha intentado alguna vez sacar la cabeza de un cilindro de un Peugeot? ¿Lo ha intentado, mma?

Mma Ramotswe hizo un gesto tranquilizador.

—No era una crítica —aclaró—. ¿Por qué no le pedís al señor J. L. B. Matekoni que os enseñe a hacerlo?

El aprendiz de más edad parecía irritado.

—¡Claro, mma! El problema es que no lo hará. Y luego se va a casa y nos deja solos dando la cara a los clientes. Y eso a ellos no les gusta. Nos preguntan: «¿Dónde está mi coche? ¿Cómo queréis que me desplace si tardáis tanto en arreglarme el coche? ¿O es que tengo que caminar, como si no tuviera coche?». Eso es lo que nos dicen, mma.

Mma Ramotswe guardó silencio unos instantes. ¡Parecía tan increíble que el señor J. L. B. Matekoni, normalmente tan meticuloso, dejara que sucediese esto en su propia empresa! Se había ganado su reputación a base de hacer buenas reparaciones, y rápidas. Cualquiera que quedara descontento con su trabajo tenía derecho a llevar otra vez el coche para que se lo volviera a arreglar gratis. Ésa había sido siempre su forma de trabajar, y a mma Ramotswe le resultaba inconcebible que dejara un coche en una rampa al cuidado de esos dos aprendices, que daban la impresión de saber tan poco de mecánica y en los que uno no podía confiar para que hicieran un trabajo completo.

Decidió seguir sonsacando al aprendiz de más edad.

—¿Tratáis de decirme —preguntó en voz baja—, tratáis de decirme que al señor J. L. B. Matekoni no le importan esos coches?

El aprendiz la miró con fijeza, clavando los ojos en ella con grosería. «Si tuviera una mínima noción de cómo comportarse —dijo mma Ramotswe para sí—, no mantendría contacto visual conmigo; bajaría la vista, como deben hacer los jóvenes en presencia de los mayores.»

—Sí —se limitó a responder el aprendiz—. Desde hace más o menos diez días el señor J. L. B. Matekoni ya no se preocupa por el taller. Precisamente ayer me dijo que creía que se iba a ir a su pueblo y que me quedara yo al frente de todo. Me dijo que lo hiciera lo mejor que supiera.

Mma Ramotswe contuvo el aliento. Algo le decía que el joven estaba diciendo la verdad, aunque resultara difícil de creer.

—Y hay algo más —añadió el aprendiz, secándose las manos con un trapo aceitoso—. Lleva dos meses sin pagar al proveedor de recambios. Llamaron el otro día, uno de los días en que el jefe se había ido pronto, y yo cogí la llamada, ¿verdad, Siletsi?

El otro aprendiz asintió.

—De cualquier manera —prosiguió—, dijeron que si no les pagábamos en diez días, no nos suministrarían más piezas de recambio. Me dijeron que se lo comunicara al señor J. L. B. Matekoni y que le pidiera que se diera prisa. Eso es lo que dijeron. Que yo se lo comentara al jefe. Eso me dijeron que hiciera.

—¿Y lo hiciste? —preguntó mma Ramotswe.

—Sí —contestó—. Le dije: «Debo decirle algo, rra». Y se lo dije.

Mma Ramotswe observó su expresión. Saltaba a la vista que estaba encantado de tener el papel de empleado preocupado, papel, sospechaba, que hasta entonces no había tenido ocasión de desempeñar.

—¿Y qué pasó? ¿Cuál fue su reacción?

El aprendiz aspiró por la nariz y se la frotó con la mano.

—Dijo que intentaría hacer algo al respecto. Eso es lo que dijo. Pero ¿sabe qué pienso yo? ¿Sabe qué creo que pasa, mma? —Mma Ramotswe le miró, expectante—. Creo que al señor J. L. B. Matekoni ya no le preocupa su taller —prosiguió—; creo que ya está harto y que quiere que nos ocupemos nosotros para poderse ir a sus tierras a cultivar melones. Ya es mayor, mma. Ya está harto.

Mma Ramotswe contuvo el aliento. El mero descaro de hacer tal sugerencia la había dejado perpleja: ahí estaba ese... inútil, ese aprendiz inútil, conocido sobre todo por su habilidad para importunar a las chicas que pasaban por delante del taller, el mismo al que el señor J. L. B. Matekoni había visto un día usando un martillo en un motor, diciendo que el propio señor J. L. B. Matekoni estaba a punto de tirar la toalla.

Tardó casi un minuto en calmarse lo suficiente antes de responder.

—Eres un grosero, jovencito —advirtió finalmente mma Ramotswe—. El señor J. L. B. Matekoni no ha dejado de interesarse por su taller. Y no es mayor. Acaba de entrar en la cuarentena, y eso, penséis lo que penséis, no es ser mayor. Y, además, no tiene ninguna intención de cederos el taller a vosotros dos, sería el fin del negocio. ¿Queda claro?

El mayor de los aprendices buscó la mirada tranquilizadora de su compañero, pero éste tenía la vista clavada en el suelo.

—Sí, mma. Lo siento.

—Ya puedes sentirlo —repuso mma Ramotswe—. Por cierto, hay novedades. El señor J. L. B. Matekoni acaba de designar una directora adjunta para el taller. Empezará en breve, y será mejor que os andéis con cuidado.

Su comentario causó el efecto deseado en el aprendiz mayor, que dejó caer el trapo aceitoso y miró ansioso a su compañero.

—Querrá decir director. ¿Cuándo empieza? —preguntó nervioso.

—La semana que viene —contestó mma Ramotswe—. Y es una mujer.

—¿Una mujer?

—Así es —respondió mma Ramotswe, volviéndose para irse—. Se llama mma Makutsi y es muy estricta con los aprendices; de modo que ya no podréis sentaros a jugar a las canicas. ¿Lo habéis entendido?

Los aprendices asintieron disgustados.

—Pues seguid intentando arreglar ese coche —ordenó mma Ramotswe—. Volveré dentro de un par de horas para ver qué tal vais.

Se fue hasta la furgoneta y se sentó frente al volante. Había conseguido sonar autoritaria al darles las órdenes a los aprendices, pero en su interior estaba lejos de sentirse segura. De hecho, estaba muy preocupada. Por experiencia sabía que cuando la gente empieza a comportarse de forma extraña, es señal de que algo va muy mal. El señor J. L. B. Matekoni era un hombre extremadamente concienzudo, y los hombres extremadamente concienzudos no abandonan a sus clientes a no ser que haya una muy buena razón. ¿Cuál era esa razón? ¿Tenía algo que ver con su inminente matrimonio? ¿Había cambiado de idea? ¿Quería escapar?

Mma Makutsi cerró con llave la puerta de la Primera Agencia Femenina de Detectives. Mma Ramotswe se había ido al taller para hablar con el señor J. L. B. Matekoni y la había dejado acabando unas cartas que después tenía que llevar a correos. Nada de lo que le hubiera podido pedir le habría parecido excesivo, tal era la felicidad que sentía mma Makutsi por su ascenso y el aumento de salario. Estaban a jueves y mañana era día de pago, aunque aún iba a cobrar el sueldo antiguo. Se daría un lujo por anticipado, pensó; tal vez se comprara un donut de camino a casa. En su recorrido pasaba por delante de un pequeño puesto que vendía donuts y otras frituras, y el olor era tentador. El problema era el dinero. Un donut frito grande costaba dos pulas, era un lujo caro, sobre todo si a eso se le añadía el coste de la cena de la noche. La vida en Gaborone era cara; tenía la sensación de que todo costaba el doble que en casa. En el campo, con diez pulas podían hacerse muchas cosas; aquí, en Gaborone, los billetes de diez pulas se le escapaban a uno de las manos.

Mma Makutsi había alquilado una habitación en el jardín de la parte de atrás de una casa que había junto a la carretera de Lobatsi. Era una especie de pequeña cabaña de adobe con vistas a la verja trasera y al camino de servicio, el lugar predilecto de los escuálidos perros. Los perros no estaban muy apegados a sus dueños; al parecer, preferían su compañía, y deambulaban por ahí de dos en dos o de tres en tres. Alguien debía de darles de comer cada cierto tiempo, pero aún se les marcaban las costillas y constantemente buscaban restos de comida en los cubos de basura. De vez en cuando, si mma Makutsi se dejaba la verja abierta, entraba uno de los perros y la miraba con cara de pena y ojos hambrientos hasta que ella lo echaba. Ésa era probablemente una humillación mucho mayor que la que vivía en el trabajo cuando las gallinas entraban en la agencia y empezaban a picotear alrededor de sus pies.

Se compró el donut en el puesto, se lo comió allí mismo y al acabar se relamió el azúcar de los dedos. Después, apaciguada el hambre, continuó el trayecto a casa. Podría haber vuelto en un minibús —era un medio de transporte bastante barato—, pero le gustaba pasear con el frescor del atardecer y normalmente no tenía prisa en llegar a casa. Se preguntaba cómo se encontraría; si su hermano habría tenido un buen día o si la tos le habría dejado exhausto. Aunque ahora estaba muy débil, llevaba unos días bastante estable y ella había podido dormir una o dos noches de un tirón.

Se había ido a vivir con ella hacía dos meses, realizando un largo viaje en autobús desde su casa. Ella había ido a recibirle a la estación de autobuses, que está junto a los ferrocarriles, y al principio no le había reconocido. La última vez que le había visto estaba en forma, incluso fornido; y ahora estaba delgado y encorvado, y la camisa le bailaba libremente alrededor del torso. Al caer en la cuenta de que era su hermano, había corrido hasta él y le había cogido de la mano, lo que la había impresionado, pues ésta estaba caliente y seca, y la piel, agrietada. Aunque había intentado hacerlo él, ella le había llevado la maleta, cargando con ésta hasta el minibús que recorría regularmente la carretera de Lobatsi.

Después se había instalado, durmiendo en el colchón que ella había dispuesto en el otro lado de la habitación. Mma Makutsi había colocado un alambre de pared a pared, del que había colgado una cortina para darle privacidad y que se sintiera como en casa, pero oía su respiración áspera, y a menudo la despertaba al hablar en sueños.

—Has sido muy amable acogiéndome —le había comentado—. Soy afortunado por tener una hermana como tú.

Ella le había dicho que no había ningún problema, que estaba encantada de tenerle con ella, y que podría seguir allí cuando su estado mejorara y encontrara un trabajo en Gaborone, pero sabía que eso no iba a pasar. Estaba convencida de que él también lo sabía, pero ninguno de los dos hablaba de ello ni de la cruel enfermedad que estaba acabando con su vida, lentamente, al igual que una sequía seca el paisaje.

Hoy, al llegar a casa, le daría buenas noticias. Siempre se mostraba muy interesado en escuchar lo que sucedía en la agencia, preguntándole todos los detalles de su jornada. No conocía a mma Ramotswe —mma Makutsi no quería que ésta se enterara de su enfermedad—, pero se imaginaba claramente cómo era y siempre le preguntaba por ella.

—Quizá la conozca algún día —comentó su hermano—. Así podré darle las gracias por lo que ha hecho por ti. De no ser por ella, nunca habrías sido detective adjunta.

—Es una buena mujer.

—Lo sé —repuso él—. Me imagino a esta encantadora mujer con su sonrisa y sus mofletes. Me la imagino tomando un té contigo. Pensarlo me hace feliz.

Mma Makutsi deseó haberle comprado un donut, pero normalmente no tenía apetito y habría sido tirar el dinero. Decía que le dolía la boca, y debido a la tos no podía comer gran cosa; por lo que no solía tomar más que unas cuantas cucharadas de la sopa que ella le preparaba en el pequeño hornillo de parafina que tenía, e incluso a veces le costaba digerirlas.

Había alguien más en la habitación cuando llegó a casa. Oyó una voz desconocida, y en un principio temió que algo terrible hubiera sucedido en su ausencia, pero al entrar vio la cortina descorrida y a una mujer sentada en un pequeño taburete plegable junto al colchón de su hermano. Al oír que se abría la puerta, la mujer se levantó y la miró.

—Soy la enfermera del Hospicio Anglicano —se presentó—. He venido a ver a nuestro hermano. Soy la hermana Baleje.

La enfermera tenía una sonrisa agradable y mma Makutsi simpatizó con ella de inmediato.

—Ha sido muy amable viniendo a verle —declaró mma Makutsi—. Le escribí aquella carta sólo para hacerle saber que no estaba bien.

La enfermera asintió.

—Hizo bien. Podemos venir a verle de vez en cuando. Y traerle comida, si la necesita. Podemos ayudarle, aunque no sea gran cosa. Y suministrarle algunos medicamentos. No son muy fuertes, pero le aliviarán un poco.

Mma Makutsi le dio las gracias y miró a su hermano.

—Lo más molesto es la tos —apuntó—. Creo que es lo peor de todo.

—No es nada agradable —repuso la enfermera.

La enfermera volvió a sentarse en el taburete y cogió al hermano de la mano.

—Tiene que beber más agua, Richard —le dijo—. No es bueno que pase mucha sed.

Richard abrió los ojos y la miró, pero no dijo nada. No sabía muy bien por qué estaba ella allí, pero se imaginó que tal vez sería alguna amiga de su hermana o una vecina.

La enfermera miró a mma Makutsi y le indicó con un gesto que se sentara en el suelo junto a ellos. Entonces, cogiendo a Richard aún de la mano, alargó el otro brazo para acariciarle suavemente la mejilla.

—Señor nuestro, que nos ayudas en nuestro sufrimiento —rezó—. Fíjate en este pobre hombre y ten misericordia de él. Haz que sus días sean alegres, que sea feliz, por la buena de su hermana, que le cuida en su enfermedad, y haz que su corazón esté en paz.

Mma Makutsi cerró los ojos y apoyó una mano en el hombro de la enfermera, donde la dejó mientras permanecían sentadas y en silencio.

4

Visita al doctor Moffat

Mientras mma Makutsi estaba sentada junto a su hermano, mma Ramotswe detenía su pequeña furgoneta blanca frente a la verja de la casa del señor J. L. B. Matekoni, cerca del viejo Defence Force Club de Botsuana. Sabía que estaba dentro; la camioneta verde que solía conducir —en lugar de usar un vehículo mejor que tenía aparcado en el taller— estaba delante de la puerta principal, que había dejado entreabierta debido al calor. Estacionó la furgoneta fuera para evitar tener que bajar del vehículo y luego subir a él para abrir y cerrar la verja, y caminó hasta la casa pasando entre las penosas plantas a las que el señor J. L. B. Matekoni llamaba su jardín.

—¡Ko! ¡Ko! —llamó a la puerta—. ¿Está usted en casa, señor J. L. B. Matekoni?

Se oyó una voz procedente del salón.

—Sí, estoy aquí, mma Ramotswe.

Mma Ramotswe entró, y al instante se fijó en lo polvoriento y empañado que estaba el suelo del recibidor. Desde que habían encarcelado a Florence, la malhumorada y antipática asistenta del señor J. L. B. Matekoni, por tenencia ilícita de armas, la casa había entrado en un estado de caos. En numerosas ocasiones le había recordado al señor J. L. B. Matekoni que contratara a otra asistenta, al menos hasta que se casaran, y él le había prometido hacerlo. Pero no lo había hecho, y mma Ramotswe había tomado la decisión de traer un día a su asistenta para intentar limpiar la casa de arriba abajo.

—Si se los deja, los hombres son capaces de vivir en el mayor de los desórdenes —le había comentado mma Ramotswe a una amiga—. No saben ocuparse de una casa o de un jardín. No saben cómo hacerlo.

Atravesó el recibidor y continuó caminando hacia el salón. Al entrar, el señor J. L. B. Matekoni, que había estado estirado en su incómodo sofá, se levantó y trató de parecer menos desaliñado de lo que estaba.

—Me alegro de verla, mma Ramotswe —dijo—. Hacía días que no la veía.

—Sí —repuso ella—, supongo que ha estado usted muy ocupado.

—Así es —afirmó él, sentándose de nuevo—. He estado muy ocupado. Hay mucho trabajo pendiente.

Mma Ramotswe se quedó callada, pero le observó mientras hablaba. Estaba en lo cierto: algo no andaba bien.

—¿Hay mucho movimiento en el taller? —le preguntó ella.

El señor J. L. B. Matekoni se encogió de hombros.

—Siempre hay movimiento. Siempre. La gente no para de traer sus coches al taller y me dicen: «Haga esto y lo otro». Se creen que tengo veinte manos. Sí, eso piensan.

—¿Acaso no quiere que la gente lleve su coche al taller? —preguntó Mma Ramotswe con suavidad—. ¿No sirven para eso los talleres?

El señor J. L. B. Matekoni la miró un instante y luego se encogió de hombros.

—Tal vez, pero aun así hay demasiado trabajo.

Mma Ramotswe echó un vistazo a la habitación y vio el montón de periódicos en el suelo, y encima de la mesa una pequeña pila de lo que parecían cartas por abrir.

—He estado en el taller —comentó mma Ramotswe—. Esperaba encontrarlo allí, pero me dijeron que se había ido pronto, que llevaba varios días yéndose pronto.

El señor J. L. B. Matekoni la miró y después miró al suelo.

—Me resulta difícil estarme allí todo el día, con todo el trabajo que hay —explicó—. Tarde o temprano se hará. Ya están los chicos, ellos lo harán.

Mma Ramotswe se quedó boquiabierta.

—¿Los chicos? ¿Los aprendices? ¿Los mismos de los que siempre ha dicho que no sabían hacer nada? ¿Cómo puede decir ahora que harán todo lo que hay que hacer? ¿Cómo puede decir eso?

El señor J. L. B. Matekoni no contestó.

—Bien, señor J. L. B. Matekoni —insistió mma Ramotswe—, ¿qué tiene que responder a eso?

—Lo harán bien —contestó con voz rara y apagada—. Se las arreglarán.

Mma Ramotswe se puso de pie. Era inútil hablar con él cuando estaba de ese humor, porque estaba claro que estaba de malhumor. A lo mejor estaba enfermo. Había oído decir que la gripe podía dejarle a uno apático durante una o dos semanas; tal vez fuera esa la explicación a tan inusitado comportamiento. En ese caso, sólo tendría que esperar a que se le pasara.

—He hablado con mma Makutsi —le contó ella mientras se disponía a irse—. Empezará a trabajar en el taller uno de estos días. La he nombrado directora adjunta. Espero que no le importe.

Su respuesta la sorprendió.

—Directora adjunta, directora, administradora, jefa de taller —dijo—, como usted prefiera. ¡Qué más da! ¿No?

Mma Ramotswe no sabía qué contestarle, de modo que se despidió y empezó a andar hacia la puerta.

—¡Ah..., por cierto! —exclamó el señor J. L. B. Matekoni mientras ella se iba—. He pensado en irme unos días al campo. Quiero ver cómo va la cosecha. Puede que me quede un tiempo.

Mma Ramotswe lo miró fijamente.

—¿Y qué pasará mientras con el taller?

El señor J. L. B. Matekoni suspiró.

—Ocúpese usted. Usted y esa secretaria suya, la directora adjunta. Que se ocupe ella. Todo irá bien.

Mma Ramotswe frunció la boca.

—De acuerdo, señor J. L. B. Matekoni —accedió ella—. Nos ocuparemos del taller hasta que se encuentre mejor.

—Estoy bien —repuso él—. No se preocupe por mí, estoy bien.

Aunque sabía que los niños la estarían esperando, mma Ramotswe no volvió a su casa de Zebra Drive. A estas horas, Motholeli ya habría preparado la cena; no necesitaba mucha supervisión o ayuda, a pesar de que estaba en una silla de ruedas. Y en cuanto al chico, Puso, que solía alborotar bastante, probablemente ya no le quedarían energías y estaría listo para bañarse y acostarse, cosas ambas de las que podía ocuparse Motholeli.

En lugar de ir a casa giró a la izquierda en la carretera de Kudu y pasó frente a los edificios de pisos hasta llegar a Odi Way, donde estaba la casa de su amigo el doctor Moffat. El doctor Moffat, antiguo director del hospital de Mochudi, había cuidado de su padre y la había escuchado siempre que había tenido problemas. Fue la primera persona con quien habló de Note, y él, con el máximo tacto posible, le dijo que sabía por experiencia que ese tipo de hombres nunca cambiaba.

—No espere que cambie —le había advertido—. La gente así rara vez cambia.

Evidentemente, era un hombre ocupado y no quería robarle tiempo, pero decidió que comprobaría si estaba en casa, por si podía arrojar algo de luz sobre el modo en que el señor J. L. B. Matekoni se estaba comportando. ¿Se estaba propagando alguna extraña infección que hiciera que la gente estuviera cansada y apática? En ese caso, ¿cuánto podía durar?

El doctor Moffat acababa de llegar a casa. Recibió a mma Ramotswe en la puerta y la condujo hasta su estudio.

—Estoy preocupada por el señor J. L. B. Matekoni —explicó—. Deje que le cuente.

El doctor la escuchó durante unos minutos antes de interrumpirla.

—Creo que sé cuál puede ser el problema —anunció—. Hay un trastorno llamado depresión; es una enfermedad como cualquier otra, bastante común. Tengo la sensación de que el señor J. L. B. Matekoni podría estar deprimido.

—¿Y se puede tratar?

—Suele ser algo muy sencillo —respondió el doctor Moffat—, siempre y cuando lo que tenga sea depresión. De ser así, hoy en día hay muy buenos antidepresivos. Si todo fuera bien, que es lo más probable, dentro de unas tres semanas, quizás incluso algo antes, tendría que empezar a sentirse un poco mejor. Las pastillas tardan un tiempo en hacer efecto.

—Le diré que venga a verle de inmediato —concluyó mma Ramotswe.

El doctor Moffat parecía dubitativo.

—A veces se creen que no les pasa nada —comentó—. A lo mejor no querrá venir. Está muy bien que yo le diga cuál creo que es el problema, pero es él quien ha de tratarse.

—Ya, conseguiré que venga —repuso mma Ramotswe—. Cuente con ello. Me aseguraré de que recibe tratamiento.

El doctor sonrió.

—Vaya con cuidado, mma Ramotswe —le advirtió—. Estas cosas pueden ser difíciles.

5

El político

A la mañana siguiente mma Ramotswe llegó a la Primera Agencia Femenina de Detectives antes que mma Makutsi. Algo inusual, ya que mma Makutsi normalmente era la primera en llegar, y cuando mma Ramotswe aparcaba su pequeña furgoneta blanca, ella ya había abierto el correo y preparado el té. Sin embargo, éste iba a ser un día complicado y quería elaborar una lista de todo lo que tenía que hacer.

—¡Qué pronto ha llegado, mma! —exclamó mma Makutsi—. ¿Ocurre algo?

Mma Ramotswe pensó unos instantes. En cierto modo, ocurría algo tremendo, pero no quería desanimar a mma Makutsi y puso a mal tiempo buena cara.

—No exactamente —contestó—. Pero tenemos que empezar a prepararnos para el traslado, y convendría que fuera usted a poner orden en el taller. El señor J. L. B. Matekoni no se encuentra muy bien y puede que se vaya una temporada, lo que significa que usted no será sólo directora adjunta, sino directora en funciones. Es más, ése será su cargo desde hoy mismo.

Mma Makutsi sonrió satisfecha.

—Haré de directora lo mejor que pueda —declaró—. Prometo no defraudarla.

—Sé que no me defraudará —aseguró mma Ramotswe—. Es usted muy buena en su trabajo.

Durante la siguiente hora trabajaron en un agradable silencio. Mma Ramotswe escribió una lista de lo que tenía que hacer, de la que tachó algunas cosas y añadió otras. Las primeras horas de la mañana eran el mejor momento para hacer cualquier cosa, especialmente en la estación calurosa. Durante los meses de calor, antes de la llegada de las lluvias, la temperatura aumentaba a lo largo del día hasta que el cielo parecía blanco. En el frescor de la mañana, cuando el sol apenas le calentaba a uno la piel y el aire todavía era frío, cualquier tarea resultaba posible; más tarde, cuando el calor alcanzaba su punto álgido, tanto el cuerpo como la mente actuaban con lentitud. Por la mañana era fácil pensar y se podía elaborar listas de lo que uno debía hacer; por la tarde, lo máximo que podía hacerse era pensar en que finalizara la jornada y en la perspectiva de sentirse liberado del calor. Era la única desventaja de Botsuana, dijo mma Ramotswe para sí. Sabía que era un país perfecto —todos los batsuanos lo sabían—, pero sería aún más perfecto si los tres meses de mayor calor pudieran ser menos calurosos.

A las nueve mma Makutsi le preparó una taza de té de rooibos a mma Ramotswe y ella se preparó una de té normal. Había intentado acostumbrarse al té de rooibos, bebiéndolo lealmente durante los primeros meses de trabajo, pero acabó por confesar que no le gustaba su sabor. Desde entonces había dos botes de té, uno para ella y otro para mma Ramotswe.

—Es demasiado fuerte —dijo—. Y huele a rata.

—No huele a rata —protestó mma Ramotswe—. Es un té para la gente a la que realmente le gusta el té. El té normal lo puede tomar cualquiera.

Hicieron un alto en el trabajo mientras tomaban el té. Tradicionalmente, la pausa del té era más un momento para ponerse al día en pequeños cotilleos que para abordar grandes temas. Mma Makutsi se interesó por el señor J. L. B. Matekoni, y mma Ramotswe le hizo un resumen de su desafortunado encuentro con él.

—Era como si nada le importara —explicó—. Si le hubiera dicho que su casa estaba en llamas, lo más probable es que no se hubiera inmutado. Estaba muy raro.

—He visto a gente en ese estado —confesó mma Makutsi—. A una prima mía la ingresaron en el hospital de Lobatsi y fui a verla.

Había un montón de gente sentada mirando fijamente al cielo. Otros gritaban sin motivo a los que iban a hacer visitas, gritaban cosas extrañas.

Mma Ramotswe frunció el entrecejo.

—Ese hospital es para gente que está loca —apuntó—, y el señor J. L. B. Matekoni no se está volviendo loco.

—Por supuesto que no —se apresuró a replicar mma Makutsi—. ¡Cómo iba a volverse loco! ¡Claro que no!

Mma Ramotswe tomó un sorbo de té.

—De todas formas tengo que llevarle al médico —anunció—. Me han dicho que este tipo de comportamiento es tratable. Se llama depresión. Se puede tratar con pastillas.

—Estupendo —se alegró mma Makutsi—. Estoy segura de que mejorará.

Mma Ramotswe le dio la taza para que la volviera a llenar.

—¿Y qué me dice de su familia de Bobonong? —preguntó—. ¿Están bien?

Mma Makutsi le sirvió más té rojo en la taza.

—Muy bien. Gracias, mma.

Mma Ramotswe suspiró.

—Debe de ser más fácil vivir en Bobonong que aquí en Gaborone. Aquí hay un montón de problemas en qué pensar; en cambio, en Bobonong no hay más que un montón de rocas. —Hizo una pausa—. Aunque es un sitio estupendo, es precioso.

Mma Makutsi se echó a reír.

—No hace falta que sea tan educada —comentó—. No pasa nada. No es un sitio que le guste a todo el mundo. A mí no me gustaría volver, ahora que he visto cómo se vive en Gaborone.

—No podría sacar partido de sus estudios —le dijo mma Ramotswe—. ¿De qué le serviría el diploma de la Escuela de Secretariado de Botsuana en un sitio como Bobonong? Se lo comerían las hormigas.

Mma Makutsi echó un vistazo a la pared de donde colgaba enmarcado su diploma de la Escuela de Secretariado de Botsuana.

—Cuando nos traslademos al despacho nuevo tenemos que acordarnos de llevárnoslo —apuntó—. No quisiera olvidármelo.

—¡Claro que no! —exclamó mma Ramotswe, que no tenía ningún diploma—. Ese diploma es importante para los clientes. Les da seguridad.

—Gracias —repuso mma Makutsi.

Acabada la pausa del té, mma Makutsi se fue a lavar las tazas al grifo que había en la parte posterior del edificio, y justo cuando volvió, llegó un cliente. Era el primer cliente que aparecía en más de una semana, y ninguna de las dos estaba preparada para encontrarse a un hombre alto y de buena complexión, que había llegado en un coche oficial, un Mercedes-Benz conducido por un chófer del Gobierno elegantemente vestido, que llamó a la puerta, de acuerdo con los modales de Botsuana, y esperó educadamente a que le invitaran a entrar.

—¿Sabe usted quién soy, mma? —preguntó, aceptando la invitación de mma Ramotswe, mientras se sentaba en la silla que había delante de la mesa de la detective.

—Por supuesto que lo sé, rra —respondió ella cortésmente—. Tiene usted algo que ver con el Gobierno. Trabaja en el Gobierno. Le he visto en los periódicos muchas veces.

El político hizo un gesto de impaciencia con la mano.

—Sí, eso es cierto. Pero ¿sabe usted quién soy cuando no trabajo en el Gobierno?

Mma Makutsi tosió educadamente y el hombre la miró de reojo.

—Es mi ayudante —explicó mma Ramotswe—. Sabe muchas cosas.

—Usted también es pariente de un jefe —intervino mma Makutsi—. Su padre es primo de la familia de un jefe. Lo sé porque yo también estoy relacionada con ellos.

El político sonrió.

—Tiene usted razón.

—Y su mujer —prosiguió mma Ramotswe— es familiar del rey de Lesotho, ¿no? También la he visto en una foto.

El político silbó.

—¿Mi qué? ¿Mi mujer? Creo que he venido al lugar adecuado. Al parecer, están ustedes al corriente de todo.

Mma Ramotswe asintió mirando a mma Makutsi y sonrió.

—Nuestro trabajo consiste en enterarnos de las cosas —explicó—. ¿De qué serviría un detective privado que no supiera nada? Trabajamos con la información. En eso consiste nuestro trabajo, al igual que el suyo consiste en dar órdenes a los funcionarios públicos.

—No sólo doy órdenes —protestó el político molesto—. Me dedico a la política. Tengo que tomar decisiones.

—Naturalmente —se apresuró a decir mma Ramotswe—. Debe de ser un trabajo muy importante el suyo.

El hombre asintió.

—No es fácil —comentó—, y desde luego no facilita las cosas estar preocupado por algo. Cada día me despierto a las dos o las tres de la madrugada, me quedo sentado en la cama y ya no vuelvo a dormirme. Y por la mañana, cuando tengo que tomar decisiones, mi mente está espesa y no puedo pensar. Eso es lo que pasa cuando uno está preocupado.

Mma Ramotswe se dio cuenta de que se acercaban al verdadero motivo de la consulta. Era más sencillo averiguarlo así, dejando que el cliente sacara el tema de refilón y no yendo al grano directamente. En cierto modo, resultaba menos agresivo enfocar el asunto de esta manera.

—Podemos aliviar las preocupaciones —aseguró ella—. A veces las disipamos del todo.

—Eso tengo entendido —repuso el político—. Dicen por ahí que hace usted milagros. Es lo que me han dicho.

—Es usted muy amable, rra. —Mma Ramotswe hizo una pausa, repasando mentalmente las diversas posibilidades. Era muy probable que se tratara de una infidelidad, el problema más común de los clientes que iban a verla, especialmente si, como en este caso, éstos tenían trabajos muy absorbentes que les hacían pasar muchas horas fuera de casa. Tal vez fuese algo político, terreno que ella aún no había experimentado. Aparte de que en ellos se urdían muchas intrigas, ignoraba cómo funcionaban los partidos políticos. Había leído un montón de cosas sobre los presidentes de Estados Unidos y las dificultades que tenían por uno u otro escándalo con mujeres, robos y demás. ¿Habría algo de ese estilo en Botsuana? Seguramente no, y de ser así preferiría no estar involucrada. No se imaginaba encontrándose de madrugada con informantes en oscuros rincones, o hablando en voz baja con periodistas en los bares. Aunque, por otra parte, quizá mma Makutsi agradeciera la oportunidad de...

El político alzó la mano, como para imponer silencio. Fue un gesto autoritario, pero como era el vástago de una familia bien relacionada, tal vez esas cosas le salían de forma natural.

—Supongo que puedo contar con su discreción —dijo, mirando brevemente a mma Makutsi.

—Mi ayudante es muy discreta —afirmó mma Ramotswe—. Es de fiar.

El hombre entornó los ojos.

—Eso espero —comentó—; porque sé cómo son las mujeres, les gusta hablar.

Los ojos de mma Makutsi casi se le salieron de las órbitas de indignación.

—Rra, le aseguro que la Primera Agencia Femenina de Detectives se rige por el más estricto principio de la confidencialidad —explicó mma Ramotswe con frialdad—. El más estricto. Y eso no sólo me incluye a mí, sino a esa mujer de ahí, a mma Makutsi. Si pone eso en duda, entonces será mejor que se busque otro detective. Por nosotras no hay problema. —Hizo una pausa—. Y algo más, rra. En este país se chismorrea mucho y creo que son los hombres quienes más se van de la lengua. Las mujeres suelen estar demasiado ocupadas para hablar.

Entrelazó las manos encima de la mesa. Lo dicho, dicho estaba, y no sería de extrañar que el hombre se fuera. Un hombre de su estatus no debía de estar acostumbrado a que le hablaran así y probablemente no se lo tomaría a bien.

Durante unos instantes el político permaneció callado, mirando fijamente a mma Ramotswe.

—Bueno —dijo al fin—. Vaya, tiene usted razón. Lamento haber sugerido que no serían capaces de guardar un secreto. —Y, volviéndose a mma Makutsi, añadió—: Lamento haber sugerido algo así de usted, mma. No ha estado bien por mi parte.

Mma Ramotswe notó que la tensión disminuía.

—De acuerdo —comentó—. Y ahora, ¿por qué no nos habla de lo que le preocupa? Mi ayudante hervirá agua para el té. ¿Qué prefiere, té de rooibos o té normal?

—Té de rooibos —contestó el político—. Creo que va bien para las preocupaciones.

—Dado que ya saben quién soy —comenzó el hombre su relato—, no será necesario que empiece por el principio, o al menos no por el principio de todo. Saben que soy hijo de un hombre importante. Y soy el primogénito, lo que significa que me convertiré en cabeza de familia cuando Dios se lleve a mi padre junto a Él, cosa que espero que no suceda en mucho tiempo.

»Tengo dos hermanos. A uno le pasó algo en la cabeza y no habla con nadie. No ha hablado ni se ha interesado por nada desde que era pequeño, así que le enviamos a un corral donde están los vacunos, y ahí está feliz. Se pasa en el corral el día entero y no supone ningún incordio para nadie. Simplemente se sienta, cuenta el ganado y, cuando ha acabado, vuelve a empezar. No aspira a nada más en la vida, aunque ya tiene treinta y ocho años.

»Luego está mi otro hermano. Es mucho más joven que yo. Yo tengo cincuenta y cuatro años y él sólo veintiséis. Es mi hermano por parte de padre. Mi padre está chapado a la antigua y tuvo dos mujeres, la más joven es la madre de mi hermano. Tenemos muchas hermanas, nueve, de distintas madres, y muchas ya se han casado y tienen sus propios hijos. De modo que somos una familia grande, pero pequeña en cuanto al número de varones de importancia; somos sólo yo y mi hermano de veintiséis años. Se llama Mogadi.

»Estoy muy orgulloso de mi hermano. Debido a la diferencia de edad le recuerdo perfectamente de bebé. Cuando fue un poco mayor, le enseñé muchas cosas. Le enseñé a encontrar gusanos en los árboles mopani, a cazar hormigas al vuelo cuando salen de sus nidos con las primeras lluvias, y qué puede y no puede comerse en la sabana.

»Entonces, un día me salvó la vida. Estábamos en el corral donde mi padre tiene a varios vaqueros. Había también algunos basaruos, ya que el corral no está lejos de la zona del Kalahari donde vive esta gente. La zona es muy árida, pero mi padre instaló un molino de viento que bombeara agua para el ganado. Bajo tierra hay muchísima agua, y está muy buena. A los basaruos les encantaba beberla cuando estaban por ahí, y luego, a cambio de un poco de leche y, con suerte, algo de carne, hacían algún trabajo para mi padre. Mi padre les caía bien porque nunca les pegaba, a diferencia de mucha otra gente que los azota con látigos. Yo siempre he estado en contra de pegar a esta gente.

»Llevé a mi hermano a ver a unos basaruos que vivían junto a un árbol cercano. Tenían tirachinas de piel de avestruz y yo quería uno para mi hermano. Cogí un poco de carne para dársela a cambio. Pensé que a lo mejor nos darían también un huevo de avestruz.

»Justo habían terminado las lluvias, y la hierba y las flores acababan de brotar. Ya sabe lo que ocurre allí abajo cuando llegan las primeras lluvias. La tierra se reblandece repentinamente y crecen flores por todas partes. Es muy bonito, y durante unos instantes uno se olvida de la sequedad y del riguroso calor. Anduvimos por una senda que habían hecho los animales con las pezuñas, yo iba delante y mi hermano detrás. Llevaba un palo largo que arrastraba tras de sí. Me sentía muy feliz de estar allí, con mi hermano pequeño, y de ver la hierba fresca que volvería a engordar al ganado.

»De pronto me llamó, y me detuve. En el suelo había una serpiente con la cabeza erguida y la boca abierta, siseando. Era grande, medía casi tanto de largo como yo de alto, y se había levantado del suelo más o menos la longuitud de un brazo. Enseguida supe de qué clase de serpiente se trataba y se me encogió el corazón.

»Me quedé quieto, sabía que la serpiente podía atacarme al primer movimiento que hiciera y la tenía cerca, muy cerca. El animal me miraba fijamente, con esa mirada amenazadora propia de las mambas, y pensé que me atacaría, y que no podría hacer nada para evitarlo.

»Justo en ese momento oí un raspón y vi que mi hermano, que por aquel entonces tendría unos once o doce años, movía el palo hacia la serpiente, hundiendo su punta en la tierra. El animal movió la cabeza y antes de que pudiéramos darnos cuenta, se había abalanzado sobre el extremo del palo; lo que me dio tiempo para darme la vuelta, coger a mi hermano y salir corriendo camino abajo. La serpiente desapareció. Había mordido el palo, puede que se hubiera roto un diente. Sea lo que fuere, no nos siguió.

»Me salvó la vida. Ya sabe lo que pasa cuando te muerde una mamba; no hay nada que hacer. Por eso desde ese día sé que le debo la vida a mi hermano pequeño.

»Han pasado catorce años desde entonces. Ahora ya no paseamos juntos por la sabana muy a menudo, pero le sigo queriendo mucho, y por eso me entristeció que viniera a verme a Gaborone para decirme que iba a casarse con una chica de Mahalapye que había conocido aquí, durante sus años de universidad, cuando estudiaba Ciencias. Conozco a su padre, trabaja de funcionario en un ministerio. Le he visto sentado debajo de un árbol comiendo en compañía de otros funcionarios, y cada vez que me ve cuando paso en coche, me saluda con la mano. Al principio le devolvía el saludo, pero ya me he cansado. ¿Acaso tengo que saludarle siempre sólo porque mi hermano y su hija están juntos?

»Mi hermano está en la finca que tenemos en Pilane. La lleva muy bien y mi padre está contento con él. En realidad, mi padre se la ha regalado, es suya, lo que le convierte en un hombre rico. Yo tengo otra finca que también era de mi padre, no tengo motivos para estar celoso. Mogadi se casó con esta chica hará unos tres meses y se trasladó a vivir a esta finca, en la que también viven mis padres y en la que mis tías pasan gran parte del año. La casa es grande y hay sitio para todos.

»Mi madre no quería que mi hermano se casara con ella. Decía que no sería una buena esposa y que no traería más que desgracias a la familia. Yo tampoco pensaba que fuera una buena idea, pero era porque intuía la razón por la que quería casarse con mi hermano. No creo que fuese por amor ni nada por el estilo, sino porque a su padre le interesaba casarla con alguien rico y de buena familia. Nunca olvidaré la expresión de su cara cuando fue a la finca a hablar con mi padre del enlace. Miraba con codicia, calculando el valor de todo. ¡Hasta le preguntó a mi hermano cuánto ganado tenía! Supongo que él no tiene.

»Aunque no creía que fuese acertada, acepté la decisión de mi hermano y procuré ser lo más hospitalario posible con su mujer. Pero no era fácil. No paraba de enfrentar a mi hermano con la familia. Está claro que quiere echar a mis padres de la finca, y cada vez es más antipática con mis tías. Es como si en casa hubiera siempre una avispa zumbando y tratando de clavarles el aguijón a los demás.

»Por si todo esto fuera poco, ocurrió algo que me preocupó aún más. Estuve por allí hace unas cuantas semanas y me acerqué a ver a mi hermano. Al llegar me dijeron que no se encontraba bien. Fui a su habitación y me lo encontré en la cama con dolor de estómago. Me dijo que algo le había sentado mal, que tal vez la carne estuviera en mal estado.

»Le pregunté si le había visitado un médico y me dijo que no, que la cosa no era tan grave como para eso. Aunque se encontraba realmente mal, estaba convencido de que no tardaría en recuperarse. Luego me fui a hablar con mi madre, que estaba sentada en el porche.

»Me indicó que me sentara a su lado, y después de comprobar que no hubiera nadie cerca, me explicó su teoría.

»—Tu cuñada está intentando envenenar a tu hermano —me comentó—. La vi en la cocina antes de comer. La vi. Le advertí a tu hermano que no se acabara la carne porque tenía aspecto de estar pasada. Si no llego a decírselo, se la hubiera comido toda y ahora estaría muerto. Está intentando envenenarlo.

»Le pregunté por qué querría ella hacer una cosa así.

»—Pero ¡si acaba de casarse con un hombre rico y encantador! ¿Por qué iba a querer deshacerse de él tan pronto?

»Mi madre se rió.

»—Porque sería más rica estando viuda —contestó—. Si tu hermano se muere antes de que ella tenga un hijo, según el testamento ella lo hereda todo. La granja, la casa, todo. Y en cuanto sea suyo, nos podrá echar a todos, a nosotros y a tus tías. Pero antes tiene que matarle.

»Al principio me pareció una teoría ridícula, pero cuantas más vueltas le daba, más pensaba que era un buen motivo y que tal vez fuera cierto. No podía hablar del tema con mi hermano, se niega a escuchar cualquier crítica acerca de su mujer; por eso creí que lo mejor sería acudir a alguien de fuera de la familia para que examinara el problema y averiguara qué está pasando.

Mma Ramotswe alzó una mano para interrumpirle.

—Para eso está la policía, rra. Creo que tendrían que ocuparse ellos. Están acostumbrados a tratar con envenenadores y gente de este tipo. Nosotras no nos ocupamos de esta clase de cosas. Ayudamos a la gente que tiene problemas, no nos dedicamos a resolver crímenes.

Mientras hablaba mma Ramotswe, vio que mma Makutsi estaba cabizbaja. Su ayudante no pensaba lo mismo que ella sobre cuál era su función; ahí estaba la diferencia entre tener casi cuarenta años o tener veintiocho, pensó mma Ramotswe. A los casi cuarenta años —o a los cuarenta, puestos a ser precisos— uno no buscaba la excitación; a los veintiocho, en cambio, sí. Y mma Ramotswe lo entendía, por supuesto que sí. Estando casada con Note Mokoti, había ansiado todo el *glamour* que suponía ser la esposa de un músico conocido, un hombre que hacía volver las cabezas a todos cuando entraba en algún sitio, y cuya sola voz recordaba las emocionantes notas de jazz que conseguía sacar de su reluciente trompeta Selmer. Cuando el matrimonio se rompió, al cabo de un breve y penoso espacio de tiempo, y teniendo como recuerdo únicamente esa diminuta y triste lápida que marcaba la corta vida de su bebé prematuro, deseó una vida estable y ordenada. Desde luego, no eran emociones fuertes lo que buscaba; de hecho, Clovis Andersen, autor de su biblia profesional, *Los principios de la investigación privada*, advertía ya en la segunda página de su libro, si no en la primera, que aquellos que se hicieran detectives privados para tener una vida más emocionante equivocaban por completo la naturaleza de la profesión. «Nuestro trabajo —decía un párrafo que a mma Ramotswe se le había quedado grabado y que le citó entero a mma Makutsi al contratarla— es ayudar a quien lo necesite a resolver los temas que haya por resolver en su vida. En nuestra profesión hay poco dramatismo, se trata más bien de un proceso de paciente observación, deducción y análisis. Somos observadores sofisticados, observamos e informamos; no hay nada de romántico en nuestro trabajo, y aquellos que estén buscando romanticismo deberían cerrar el manual ahora mismo y dedicarse a otra cosa.»

Al citarle el párrafo, mma Makutsi había mirado asombrada a mma Ramotswe, lo que ponía de manifiesto que tenía una visión totalmente diferente de la profesión. Y ahora que mma Makutsi, nada más y nada menos que con un político sentado frente a ellas hablando de intrigas familiares y posibles envenenamientos, tenía la sensación de haber dado al fin con una investigación que les permitiría involucrarse en algo que valiera la pena, ¡mma Ramotswe parecía decidida a quitarse al cliente de encima!

El político miró fijamente a mma Ramotswe. Sus palabras le habían disgustado y parecía que se estuviera esforzando para controlar su desagrado. Mma Makutsi se percató de que le temblaba ligeramente el labio superior.

—No puedo acudir a la policía —dijo, haciendo todo lo posible por que su voz sonara normal—. ¿Qué podría decirles? Incluso a mí me pedirían pruebas. Me dirían que no pueden ir a una casa y detener a una mujer que afirmaría no haber hecho nada, y cuyo marido también diría: «Mi mujer no ha hecho nada. ¿A qué viene todo esto?».

Hizo una pausa y miró a mma Ramotswe como si ya lo tuviera todo planeado.

—Bueno —soltó con brusquedad—, si no puedo ir a la policía, sólo me quedan los detectives privados. Para eso están ustedes, ¿no, mma?

Mma Ramotswe le devolvió la mirada, lo que en sí era significativo. Antaño no hubiera podido mirar así a un hombre de su rango. Habría sido muy descortés. Pero los tiempos habían cambiado y ella era ciudadana de la moderna República de Botsuana, donde había una Constitución que garantizaba la dignidad de todos sus habitantes, entre ellos las detectives privadas. La Constitución se había defendido desde aquel mismísimo día de 1966 en que la bandera del Reino Unido se sacó del estadio y, entre el vocerío de la multitud, se alzó esa otra maravillosa bandera azul. Era un récord que ningún otro país africano, ninguno, podía igualar. Y, en fin de cuentas, ella era Precious Ramotswe, hija de Obed Ramotswe, un hombre cuya dignidad y valía eran iguales a las de cualquier otro hombre, descendiera o no de un jefe. Un hombre que hasta el día de su muerte había podido mirar a los ojos a todo el mundo, como ella podría hacer también.

—Soy yo quien decide si acepto o no un caso, rra —repuso—. No puedo ayudar a todo el mundo. Intento ayudar a la gente todo lo que puedo, pero si veo que no puedo hacer nada, le digo a esa persona que lo siento mucho pero que no puedo ayudarla. Así es como trabajamos en la Primera Agencia Femenina de Detectives. En su caso no sé cómo podríamos averiguar lo que hay que averiguar. Es un problema familiar; no entiendo qué podría hacer alguien de fuera.

El político estaba callado. Miró a mma Makutsi, pero ella apartó la vista.

—Vaya —dijo al cabo de un momento—. Me temo que no quiere usted ayudarme, mma, y eso me entristece. —Hizo una pausa—. ¿Tiene usted licencia para este negocio, mma?

Mma Ramotswe recobró el aliento.

—¿Licencia? ¿Hay alguna ley que exija tener licencia para ser detective privada?

El hombre sonrió, pero su mirada era fría.

—Probablemente, no. No lo he comprobado, pero podría haberla. Hay que regular los negocios, ¿sabe? Por eso hay licencias para vendedores ambulantes y comerciantes; se les dan a quienes se considera oportuno. Ya sabe cómo funcionan estas cosas.

Fue Obed Ramotswe quien respondió a través de las palabras de Precious, su hija.

—No le oigo, rra. No oigo nada.

Mma Makutsi se puso repentinamente a revolver papeles en su mesa.

—Tiene usted razón, mma —afirmó la secretaria—. No puede usted acercarse a esa mujer y preguntarle si tiene intención de matar a su marido. Eso no funcionaría.

—No, no funcionaría —repitió mma Ramotswe—; por eso no podemos hacer nada.

—Por otra parte... —se apresuró a proseguir mma Makutsi—, tengo una idea. Creo que ya sé cómo podríamos hacerlo.

El político se volvió para mirar a mma Makutsi.

—¿Cómo, mma?

Mma Makutsi tragó saliva. Daba la impresión de que sus enormes gafas brillaban con intensidad por la fuerza de la idea.

—Verá —empezó diciendo—, es importante entrar en esa casa y enterarse de lo que se habla en ella. Hay que observar a la mujer que planea esas atrocidades. Es importante que conozcamos su corazón.

—¡Eso es! —exclamó el político—. Eso es lo que quiero que hagan. Quiero que la conozcan y encuentren al demonio que lleva dentro; así podrán ponerlo en evidencia y decirle a mi hermano lo mala que es su mujer y cómo no para de urdir planes.

—No es tan sencillo —objetó mma Ramotswe—. La vida no es tan sencilla, no lo es.

—Por favor, mma —le suplicó el hombre—. Escuchemos a esta mujer tan inteligente, tiene ideas muy buenas.

Mma Makutsi se ajustó las gafas antes de continuar:

—¿Verdad que en la casa hay servicio doméstico?

—Hay cinco empleados —respondió el político—, además de los que se ocupan del ganado y de los antiguos empleados de mi padre. Estos últimos ya no trabajan, pero se sientan al sol en el jardín y mi padre les da de comer. Están muy gordos.

—Exacto —dijo mma Makutsi—. Una empleada de hogar se entera de todo y tiene acceso al dormitorio de sus jefes, ¿no? Y una cocinera sabe lo que comen. El servicio siempre está ahí, observando sin parar, hablando entre sí. Se entera de todo.

—Entonces ¿irá ahí y hablará con el servicio? —preguntó el político—. ¿Cree que querrán hablar? Tal vez teman por sus puestos de trabajo, se callen y digan que no pasa nada.

—Pero mma Ramotswe sabe cómo hablar con la gente —replicó mma Makutsi—. La gente habla con ella; yo lo he visto. Podría intentar que pasara unos días en casa de su padre. ¿Cree que podría?

—Por supuesto que sí —respondió el hombre—. Puedo decirles a mis padres que hay una mujer que me ha hecho un favor y que, por diversas razones, necesita ausentarse unos días de Gaborone. Seguro que la acogerán.

Mma Ramotswe miró a mma Makutsi. No era incumbencia de su ayudante hacer ese tipo de sugerencias, sobre todo si iban a tener como consecuencia que mma Ramotswe aceptara un caso que no quería aceptar. Tendría que hablar de ello con mma Makutsi, pero no quería ponerla en evidencia delante de este hombre arrogante y de comportamiento autocrático. Aceptaría el caso, no porque su apenas velada amenaza hubiera funcionado —amenaza a la que había hecho frente al decirle que no oía lo que decía—, sino porque le habían propuesto una forma de averiguar lo que había que averiguar.

—Está bien —accedió—. Aceptamos el caso, rra, no por nada que usted haya dicho, especialmente eso que no he oído. —Hizo una pausa, dejando sentir el efecto de sus palabras—. Pero una vez allí, seré yo quien decida qué hacer y usted no interferirá.

El hombre asintió entusiasmado.

—De acuerdo, mma. Me parece estupendo. Y lamento haber dicho cosas que no debería haber dicho. Debe saber que mi hermano es muy importante para mí y que, si no temiera por él, no habría dicho lo que he dicho. Eso es todo.

Mma Ramotswe le miró. Era evidente que el hombre quería a su hermano. No debía de ser fácil verlo casado con alguien de quien desconfiaba tanto.

—Ya está olvidado, rra. No se preocupe —le tranquilizó.

El político se levantó.

—¿Empezará mañana? —preguntó—. Tengo que organizarlo todo.

—No —contestó mma Ramotswe—. Empezaré dentro de unos días. Tengo mucho que hacer en Gaborone. Pero no se preocupe: si hay algo que podamos hacer por su hermano, lo haremos. Cuando aceptamos un caso, nos lo tomamos en serio. Le doy mi palabra.

El hombre alargó el brazo por encima de la mesa y le dio la mano a mma Ramotswe.

—Es usted muy amable, mma. Corroboro todo lo que me han dicho de usted.

Se volvió a mma Makutsi.

—Y en cuanto a usted, mma, es usted muy inteligente. Si algún día se cansa de ser detective privada, venga a verme. El Gobierno necesita a mujeres como usted. La mayoría de las que trabajan ahí no son muy válidas. Se sientan y se pintan las uñas. Creo que usted trabajaría duro.

Mma Ramotswe iba a decir algo, pero su nuevo cliente ya se iba. Desde la ventana vieron al chófer abrir con cuidado la puerta del coche y cerrarla enérgicamente.

—Si trabajara para el Gobierno —comentó mma Makutsi, apresurándose a añadir—, cosa que naturalmente no haré, me pregunto cuánto tardaría en tener un coche como ése, y un chófer.

Mma Ramotswe se echó a reír.

—No crea todo lo que dice ese hombre —le advirtió—. Esa clase de hombres hace muchas promesas. Y, además, es un estúpido, y un arrogante.

—Pero lo que ha dicho de su cuñada era verdad, ¿no? —preguntó nerviosa mma Makutsi.

—Probablemente, sí —contestó mma Ramotswe—. No creo que se lo haya inventado. Pero recuerde lo que dice Clovis Andersen acerca de que toda historia tiene dos caras. Y, de momento, sólo conocemos una, la estúpida.

La vida se estaba complicando, pensó mma Ramotswe. Acababa de aceptar un caso cuya resolución distaba mucho de ser fácil y que le haría ausentarse de Gaborone. En sí, eso ya era suficientemente complicado, pero había que añadirle lo del señor J. L. B. Matekoni y Tlokweng Road Speedy Motors, que complicaba aún más la situación. Y, además, estaban los niños; ahora que ya se habían instalado en su casa de Zebra Drive, habría que establecer algún tipo de rutina. En ese sentido, Rose, su asistenta, le era de gran ayuda, pero no podía cargar ella sola con todo.

La lista que había empezado a elaborar a primera hora de la mañana la encabezaba el traslado de oficina. Ahora creía que el tema del taller tenía que ir en primer lugar y que lo del traslado podía pasar a un segundo plano. Después pondría a los niños: escribió COLEGIO en mayúsculas y debajo un número de teléfono. A continuación añadió ARREGLAR NEVERA; LLEVAR HIJO ROSE AL MÉDICO POR EL ASMA, y, finalmente, anotó: HACER ALGO RESPECTO MUJER MALA.

—Mma Makutsi —anunció—, creo que la acompañaré al taller. No podemos dejar de lado al señor J. L. B. Matekoni, aunque esté comportándose de forma extraña. Tendrá que asumir su cargo de directora en funciones desde ahora mismo. Iremos en la furgoneta.

Mma Makutsi asintió.

—Cuando quiera, mma —repuso—. Estoy lista para dirigir.

6

Una nueva jefa

Tlokweng Road Speedy Motors estaba a poca distancia de la carretera, unos ochocientos metros después de pasar las dos grandes tiendas construidas en las afueras del barrio conocido como el Village. Estaba junto a otros dos edificios: un comercio que vendía de todo, desde ropa a bajo precio hasta parafina y jarabe dorado, y una constructora que vendía maderas y planchas de cinc acanalado para tejados. El taller estaba en el extremo este, rodeado de diversos espinos y con un surtidor de gasolina en la parte delantera. Al señor J. L. B. Matekoni le habían prometido suministrarle un surtidor más moderno, pero a la petrolera no le interesaba que vendiera gasolina y les hiciera la competencia a sus propias y modernas instalaciones, y se olvidaban de la promesa deliberadamente. Claro está que seguían suministrándole gasolina, el contrato los obligaba a ello, pero lo hacían sin ningún entusiasmo y no solían ir el día acordado, por lo que los depósitos a menudo estaban vacíos.

Aunque nada de eso importaba mucho. Los clientes iban a Tlokweng Road Speedy Motors porque querían que fuera el señor J. L. B. Matekoni el que arreglara sus coches, y no únicamente para poner gasolina. Conocían la diferencia entre un buen mecánico y alguien que se limita a arreglar vehículos. Un buen mecánico comprendía a los coches; podía detectar un problema sólo con escuchar el ruido de un motor, del mismo modo que un médico experimentado sabe lo que le pasa a su paciente nada más verle.

—Los motores hablan —les explicaba a sus aprendices—. Escuchadlos. No tenéis más que escucharlos para saber lo que les pasa.

Naturalmente, los aprendices no comprendían lo que quería decir con eso. Tenían un concepto totalmente diferente de las máquinas y eran incapaces de entender que un motor podía estar de un humor u otro, que tenía sentimientos, que podía sentirse estresado o presionado, o aliviado y tranquilo. El señor J. L. B. Matekoni los tenía allí por compasión, porque le preocupaba que en Botsuana no hubiera suficientes mecánicos bien preparados para sustituir a su generación cuando ésta, finalmente, se jubilara.

—África no prosperará hasta que tenga mecánicos —le dijo en una ocasión a mma Ramotswe—. Los mecánicos son el primer eslabón de la cadena, luego están los demás, médicos, enfermeras, profesores... Pero todo se basa en los mecánicos; de ahí que sea importante preparar a los jóvenes.

Al llegar a Tlokweng Road Speedy Motors, mma Ramotswe y mma Makutsi vieron a uno de los aprendices al volante de un coche mientras su compañero lo empujaba lentamente hacia el taller. Cuando se acercaron, el aprendiz dejó de empujar para mirarlas y el coche se fue hacia atrás.

Mma Ramotswe estacionó la pequeña furgoneta blanca debajo de un árbol y, junto con mma Makutsi, se dirigió al despacho.

—Buenos días, *bomma* —saludó el aprendiz más alto—. La suspensión de su furgoneta está muy mal. Está usted demasiado gorda. ¿Ve que un lado está más bajo que el otro? Si quiere, podemos arreglársela.

—A mi furgoneta no le pasa nada —repuso mma Ramotswe—. El señor J. L. B. Matekoni se ocupa de revisarla personalmente y nunca me ha dicho nada de la suspensión.

—Bueno, últimamente no dice nada de nada —apuntó el aprendiz—. Está muy silencioso.

Mma Makutsi se detuvo y le miró fijamente.

—Soy mma Makutsi —anunció con sus enormes gafas—, la directora en funciones. Si quieres que hablemos de suspensiones, lo haremos en mi despacho; de lo contrario, explícame qué estás haciendo en este momento, de quién es este coche y qué le pasa.

El aprendiz dirigió la vista hacia su compañero en busca de apoyo.

—Es de la mujer que vive detrás de la comisaría. Me parece que es un poco ligera de cascos —dijo riéndose—. Siempre lleva hombres en el coche, pero como ahora no se pone en marcha, ya no podrá verse con ellos, ¡ja, ja, ja!

Mma Makutsi estaba que echaba chispas:

—De modo que no se pone en marcha, ¿eh?

—No —respondió el aprendiz—. Charlie y yo hemos tenido que ir a recogerlo con la camioneta para remolcarlo hasta aquí. Ahora lo entraremos en el taller para echarle un vistazo al motor; a lo mejor habrá que cambiarlo. Me temo que va a ser una reparación costosa. Ya sabe cómo son estas cosas, los motores son caros; será mejor que esa mujer vaya pidiendo dinero a sus amigos para poder pagar, ¡ja, ja, ja!

Mma Makutsi se bajó las gafas hasta la punta de la nariz y miró al aprendiz por encima de ellas.

—¿Y qué me dices de la batería? —le preguntó—. Tal vez el problema esté en la batería, ¿has probado hacer un puente?

Al aprendiz se le borró la sonrisa de los labios.

—Contesta —le ordenó mma Ramotswe—. ¿Lo has intentado ya?

El aprendiz sacudió la cabeza.

—Es un coche muy viejo, seguro que a la batería también le pasará algo.

—Tonterías —replicó mma Makutsi—. Abre el capó. ¿Tienes alguna batería en el taller? Conéctala a la del coche e inténtalo.

El aprendiz miró a su compañero, que se encogió de hombros.

—¡Venga, que tengo mucho que hacer! —le acució mma Makutsi—. ¡Muévete, por favor!

Mma Ramotswe no dijo nada y se limitó a observar, junto con mma Makutsi, cómo los chicos empujaban el vehículo los últimos metros de distancia que quedaban hasta el taller y conectaban la batería de éste a otra nueva. Entonces uno de ellos, malhumorado, se sentó en el asiento del conductor, accionó la llave, y el coche se puso en marcha al instante.

—Carga la batería —ordenó mma Makutsi—, cámbiale el aceite y luego devuélvele el coche a esa mujer. Dile que lamentas que la reparación haya llevado tanto tiempo y que, para compensarla, le hemos cambiado el aceite gratuitamente. —Se volvió a mma Ramotswe, que estaba a su lado sonriendo—. La lealtad de los clientes es muy importante. Si se los trata bien, nunca se irán a otra parte; y eso es muy importante en los negocios.

—Así es —afirmó mma Ramotswe. Había albergado sus dudas acerca de la capacidad de mma Makutsi para ocuparse del taller, pero ya se estaban disipando—. ¿Entiende usted mucho de máquinas? —le preguntó a su ayudante como si tal cosa mientras se disponían a ordenar la repleta mesa del señor J. L. B. Matekoni.

—No mucho —respondió mma Makutsi—. Pero las de escribir se me dan bien; además, todas las máquinas se parecen, ¿no cree?

Lo primero que hicieron fue averiguar qué coches no habían sido aún reparados y cuántos tenían hora dada para los siguientes días. Charlie, el mayor de los aprendices, fue requerido en el despacho para ayudar a hacer una lista del trabajo pendiente. Resultó que había ocho coches estacionados en la parte posterior del taller a la espera de piezas de recambio, algunas de las cuales ya se habían pedido, otras, no. Elaborada la lista, mma Makutsi llamó por teléfono a todos los proveedores.

—El señor J. L. B. Matekoni está muy enfadado —comentó con brusquedad—. No podremos pagarle los pedidos anteriores si no nos suministra más piezas, ¿lo entiende?

Lo prometido por los proveedores se cumplió en su mayor parte; algunas horas después los proveedores empezaron a traer los recambios. Mma Makutsi los etiquetó debidamente —cosa que, según los aprendices, no había sucedido hasta entonces— y los puso en un banco, por orden de urgencia; mientras tanto, y siempre bajo su coordinación, los aprendices se dedicaron a colocar recambios y probar motores para, finalmente, darle los coches para que los supervisara. Le explicaban lo que le habían hecho a cada vehículo, en ocasiones era ella misma la que lo comprobaba, y luego, como no sabía conducir, le pedía a mma Ramotswe que se fuera a dar una vuelta en ellos antes de llamar a sus propietarios para decirles que ya estaban listos.

Les dijo que les descontarían el cincuenta por ciento para subsanar la tardanza, lo que calmó a todos los clientes, salvo a uno, que anunció que en adelante se iría a otro taller.

—Entonces ya no podrá beneficiarse de nuestra oferta de servicio gratuito —le comentó mma Makutsi con tranquilidad—. ¡Qué lástima!

Ante lo cual el cliente cambió de idea, y al acabar la jornada Tlokweng Road Speedy Motors había devuelto seis coches a sus dueños, y todos parecían haberlos perdonado.

—No ha estado mal para ser mi primer día —comentó mma Makutsi mientras mma Ramotswe y ella contemplaban a los aprendices, agotados, yéndose calle abajo—. Como los chicos se han esforzado mucho, les he dado un plus de cincuenta pulas a cada uno. Estaban encantados, ya verá cómo a partir de ahora se esforzarán más.

Mma Ramotswe estaba pensativa.

—Puede que esté usted en lo cierto, mma —dijo—. Es usted una gran jefa.

—Gracias —repuso mma Makutsi—, pero será mejor que nos vayamos a casa, mañana hay mucho que hacer.

Mma Ramotswe llevó a su ayudanta a casa en la pequeña furgoneta blanca por calles atestadas de gente que salía del trabajo. Había minibuses sobrecargados que se inclinaban de forma alarmante hacia un lado, bicicletas con pasajeros sentados en las barras, y gente que simplemente caminaba, balanceando los brazos, silbando, pensando o soñando. Conocía bien la carretera porque había acompañado a mma Makutsi a su casa en numerosas ocasiones; ya estaba familiarizada con las modestas chozas abarrotadas de esos niños de mirada fija y ojos inquisidores que parecían poblar ese tipo de zonas.

Dejó a su ayudanta frente a la puerta principal y esperó a que rodeara la casa para ir a la cabaña de adobe en la que vivía. Le pareció ver una silueta junto a la entrada; tal vez fuera una sombra, pero justo en ese momento mma Makutsi se dio la vuelta y mma Ramotswe, que no quería ser vista observándola, se fue en su furgoneta.

7

La niña que tuvo tres vidas

No todo el mundo tenía asistenta, naturalmente que no, pero si uno tenía un trabajo bien remunerado y una casa del tamaño de la de mma Ramotswe, no contratar una asistenta —más aún, no contratar varios empleados de hogar— se habría considerado egoísta. Mma Ramotswe sabía que había países en los que la gente, aunque adinerada, no tenía servicio doméstico, cosa que encontraba incomprensible. Si los que podían permitirse criados preferían no tenerlos, entonces ¿a qué se supone que tenían que dedicarse esas personas?

En Botsuana, probablemente todas las casas de Zebra Drive —en realidad, todas las que tenían más de dos habitaciones— tenían servicio doméstico. Había leyes que marcaban cuánto debían cobrar las empleadas de hogar, pero por regla general no se cumplían. Había gente —la mayoría, por lo que mma Ramotswe sabía—, que las trataba muy mal, les pagaba muy poco y pretendía que trabajaran las veinticuatro horas del día. Éste era el secreto vergonzoso de Botsuana —la explotación—, del que a nadie le gustaba hablar. La verdad es que nadie quería hablar de cómo habían sido tratados los masaruos en el pasado, prácticamente como esclavos, y si alguien lo mencionaba, la gente apartaba la vista y cambiaba de tema. Pero eso es lo que había ocurrido, y seguía pasando en muchos sitios, y todos lo sabían. En realidad, sucedía en toda África. La esclavitud había sido un tremendo error, y siempre hubo negreros africanos dispuestos a vender a su propia gente; de hecho seguía habiendo multitud de africanos que, por un sueldo miserable, trabajaban en condiciones de semiesclavitud. Entre esa gente débil y humilde se encontraban los empleados de hogar.

A mma Ramotswe no dejaba de sorprenderla que la gente pudiera ser tan cruel con sus empleados. Una vez, estando en casa de una amiga, ésta comentó de pasada que le daba a su asistenta cinco días de vacaciones al año, que se los descontaba del sueldo, y se jactó de haber logrado recientemente reducirle el salario porque le parecía que era una vaga.

—¿Y por qué no se ha ido? —preguntó mma Ramotswe.

Su amiga se echó a reír.

—¿Irse? ¿Adónde? Hay un montón de gente que espera ocupar su sitio, y ella lo sabe. Sabe que yo podría encontrar a alguien que hiciera lo mismo que ella por la mitad de lo que le pago.

Mma Ramotswe no había dicho nada más, pero en ese momento dio por zanjada su amistad. Lo sucedido le hizo pensar. ¿Se puede ser amiga de una persona que no se comporta como Dios manda? ¿Acaso las personas malas sólo pueden tener malos amigos porque éstos son los únicos que tienen con ellas lo suficiente en común para ser amigos? Mma Ramotswe hizo un repaso de la gente notoriamente mala. Por ejemplo, estaban Idi Amin o Henrik Verwoerd. Era evidente que Idi Amin era malo, aunque quizá no de la misma manera que el señor Verwoerd, que había dado la impresión de ser bastante sensato, pero que tenía un corazón de piedra. ¿Le habría querido alguien? ¿Habría tenido amigos? Mma Ramotswe deducía que sí; había asistido gente a su funeral, y habían llorado como se lloraba en los funerales de los hombres de bien. El señor Verwoerd tenía a su gente, y tal vez no todos fueran malos. Las cosas habían cambiado en Suráfrica y esas personas tenían que seguir con sus vidas. Quizá se hubieran dado cuenta de todo el daño que habían causado; pero, incluso, de no ser así, casi todo el mundo los había perdonado. En general, los africanos eran incapaces de albergar odio en sus corazones. Puede que a veces, como en todas partes, fueran estúpidos, pero tanto el señor Mandela como Seretse Khama se habían encargado de demostrarle al mundo que no eran rencorosos, pensó mma Ramotswe. Ya nadie parecía acordarse de Seretse Khama, y eso que había sido una de las grandes figuras de África y que le había dado la mano a su padre, Obed Ramotswe, con ocasión del viaje que había hecho a Mochudi para hablarle a la multitud. Precious Ramotswe, que entonces era una niña, lo había visto bajarse del coche; la gente se había agolpado a su alrededor, entre ellos su padre, con el deformado sombrero en una mano. Y en el momento en que Khama le había dado la mano, el corazón de Precious se había llenado de orgullo. Era algo que mma Ramotswe recordaba cada vez que veía la foto de ese gran estadista sobre la repisa de su chimenea.

Aquella amiga suya que trataba mal a su asistenta no era mala persona; se portaba bien con su familia y siempre había sido amable con ella, pero en lo que concernía a su asistenta —que era de Molepolole y que a mma Ramotswe le había parecido una mujer agradable y trabajadora el día que la conoció—, no tenía en cuenta sus sentimientos. Pensó que esa manera de actuar se debía a la ignorancia; a la incapacidad de entender las esperanzas y aspiraciones ajenas. Y esa comprensión, en su opinión, era el principio de toda moralidad. Si uno sabía cómo se sentía una persona, si era capaz de ponerse en su lugar, entonces era imposible hacerle daño; porque habría sido como hacerse daño a uno mismo.

Mma Ramotswe era consciente de lo mucho que se debatía sobre ética, pero desde su punto de vista la cosa era bastante sencilla. En primer lugar estaba la antigua moralidad botsuanesa, que, naturalmente, era correcta. Basándose en ella, uno hacía lo debido y no había que darle más vueltas. Pero también había otras normas de moralidad: los Diez Mandamientos, que de pequeña se había aprendido de memoria en las clases dominicales de Mochudi; también eran absolutamente correctos. Estos códigos éticos eran como el Código Penal de Botsuana; tenían que seguirse al pie de la letra. Uno no podía actuar como si fuese el Tribunal Superior de Botsuana, decidiendo qué partes debía observar y cuáles no. Los códigos éticos no se habían diseñado para ser selectivo con ellos, ni tampoco para cuestionarlos. Uno no podía decir que cumpliría tal prohibición y no tal otra. «Seguro que no robaré, pero lo del adulterio es otra historia: está mal que lo hagan los demás, pero no yo.»

Gran parte de la ética consistía en hacer lo que, tras un largo proceso de aceptación y observación, se había considerado correcto.

Uno no podía hacer una ética a su medida porque la experiencia propia era insuficiente para ello. ¿Con qué derecho podemos decir que sabemos más que nuestros antepasados? La ética es universal, lo que significa que se necesitan los puntos de vista de más de una persona para elaborarla. Eso es lo que había pasado con la ética moderna, centrada en el individuo y en un criterio individual. Si a la gente se la dejara elaborar su propia ética, diseñaría la que le resultara más cómoda, la que le permitiera hacer lo que se le antojara durante el mayor tiempo posible. Y eso, desde el punto de vista de mma Ramotswe, no era más que egoísmo, por muy pomposo que fuera el nombre que se le diera.

Un día mma Ramotswe oyó en la radio un programa de la emisora World Service que la dejó boquiabierta. Salían hablando unos filósofos, que se autodenominaban existencialistas, y que, por lo que se enteró, vivían en Francia. Estos franceses decían que había que vivir de tal forma que uno se sintiera real, y que cuando hacías algo real tu acción era correcta. Mma Ramotswe los había escuchado asombrada. Se le ocurrió que no era necesario irse a Francia para conocer a existencialistas; en Botsuana había muchos. Note Mokoti, por ejemplo. Ella misma, sin saberlo, había estado casada con un existencialista. Note, ese hombre egoísta que nunca había hecho nada por los demás —ni siquiera por su mujer—, se habría mostrado de acuerdo con los existencialistas, y ellos con él. Puede que fuera muy existencialista irse de juerga cada noche y dejar a tu mujer embarazada en casa, o incluso liarse con chicas —chicas existencialistas— que uno conocía en los bares. No estaba mal la vida de un existencialista, aunque no para los demás, para los no existencialistas que le rodeaban. Los existencialistas vivían bastante bien, no así los demás, los no existencialistas que estaban a su alrededor.

Mma Ramotswe no trataba a Rose, su asistenta, de una manera existencialista. Rose había trabajado para ella desde su traslado a Zebra Drive. Mma Ramotswe había descubierto la existencia de una red de gente sin trabajo, entre la que corría la voz cada vez que se trasladaba al barrio alguien que pudiera necesitar un empleado de hogar. Rose se había presentado en la casa cuando aún no hacía ni una hora que mma Ramotswe había llegado.

—Necesitará una asistenta —le había dicho—, y yo soy muy buena. Trabajaré duro y no le causaré ningún problema. Puedo empezar ahora mismo.

Mma Ramotswe tardó un segundo en decidirse. Vio ante sí a una mujer de unos treinta años, respetable y de aspecto aseado. Pero también vio a una madre, uno de cuyos hijos estaba esperándola en la verja, mirándola. Y se preguntó qué le habría dicho su madre. «Esta noche cenaremos si esta mujer me da el trabajo. A ver si hay suerte. Espérame aquí y estáte alerta.» Estar alerta. Eso era lo que uno decía en setsuana, si tenía la esperanza de que algo sucediera; equivalía a la expresión «cruzar los dedos» que usaban los blancos.

Mma Ramotswe echó un vistazo a la verja y vio a la niña absolutamente atenta; supo que sólo había una respuesta posible.

Miró a la mujer y dijo:

—Es cierto, necesito una asistenta. El trabajo es suyo, mma.

La mujer palmeó las manos en señal de gratitud y se volvió a su hija para hacerle una señal. «¡Qué suerte tengo! —pensó mma Ramotswe—. ¡Qué suerte tengo de poder hacer feliz a alguien diciendo una sola palabra!»

Rose se trasladó de inmediato y no tardó en demostrar lo mucho que valía. Los anteriores propietarios de la casa, gente muy descuidada, la habían dejado en muy mal estado. Había polvo por todas partes. Rose se pasó tres días barriendo y abrillantando el suelo hasta que todo relució y olió a cera. Pero eso no fue todo, porque además era una experta cocinera y planchaba de maravilla. Mma Ramotswe iba bien vestida, pero siempre le había costado lo suyo planchar las blusas como le habría gustado. Y Rose lo hacía con una dedicación que enseguida se vio reflejada en las costuras y prendas almidonadas, desprovistas de toda arruga.

Rose se instaló en la zona de servicio de la parte posterior de la casa. Consistía en una construcción de dos habitaciones, con una ducha y un váter en una esquina, y un porche en el que se podía cocinar. Ella dormía en un cuarto, y sus dos hijos pequeños en el otro. Tenía más hijos mayores, uno de ellos era carpintero y se ganaba bien la vida. Pero aun así los gastos eran muchos y casi no podía ahorrar, especialmente desde que su hijo pequeño tenía asma y necesitaba costosos inhaladores para ayudarle a respirar.

Al llegar a casa, después de haber dejado a mma Makutsi, mma Ramotswe se encontró a Rose en la cocina fregando una olla ennegrecida. Le preguntó educadamente qué tal le había ido el día, a lo que ella respondió que muy bien.

—He ayudado a Motholeli a bañarse —comentó—. Ahora está leyéndole un cuento a su hermano, que no ha parado en todo el día y está agotado. No tardará en irse a la cama. Creo que lo único que le mantiene despierto es el hambre que tiene.

Mma Ramotswe le dio las gracias y sonrió. Ya había pasado un mes desde que el señor J. L. B. Matekoni trajera a los niños del orfanato, y todavía no se había acostumbrado a tenerlos en casa. La decisión de traerlos había sido del señor J. L. B. Matekoni, de hecho, ni siquiera lo había consultado con ella antes de comprometerse a ser su padre adoptivo; pero mma Ramotswe no había dudado en acceder. Motholeli, que iba en silla de ruedas, se manejaba bien por la casa y, para satisfacción del señor J. L. B. Matekoni, le gustaba arreglar coches. Su hermano pequeño era más reservado. Era muy activo, y educado, pero le gustaba más estar solo o en compañía de su hermana que de otros niños. Motholeli ya tenía amigas; él, en cambio, parecía reacio a hacer amistades.

Motholeli había empezado a ir a la Escuela de Secundaria de Gaborone, que no estaba lejos de casa, y se lo pasaba muy bien. Cada mañana, como de costumbre, iba a recogerla alguna compañera de clase para acompañarla hasta el colegio, cosa que había sorprendido a mma Ramotswe.

—¿Os han dicho los profesores que vinierais? —le preguntó a una de ellas.

—No, mma —contestó la niña—. Venimos porque es amiga nuestra.

—Sois muy amables —repuso mma Ramotswe—. El día de mañana os convertiréis en unas señoritas encantadoras. ¡Así se hace!

Al niño le habían encontrado una plaza en la escuela de primaria del barrio, pero mma Ramotswe quería que el señor J. L. B. Matekoni pagara para que fuera a Thornhill. Era un colegio muy caro, y ahora se preguntaba si sería posible enviarlo allí. Era sólo una de las miles de cosas de las que había que ocuparse; además del taller, los aprendices, la casa cercana al viejo Defence Force Club y los niños, sin olvidarse de la boda —fuera cuando fuera—, aunque en ese momento mma Ramotswe apenas se atrevía a pensar en ella.

Se fue directa al salón y vio al niño sentado junto a la silla de ruedas de su hermana, escuchándola mientras ésta leía en voz alta.

—¿Qué haces? ¿Le estás leyendo un cuento a tu hermano? —le preguntó—. ¿Es bonito?

Motholeli levantó la vista y sonrió.

—No es un cuento, mma —contestó—. Bueno, no es un cuento de un libro. Es una historia que he escrito en el colegio y se la estoy leyendo.

Mma Ramotswe se unió a ellos, y se sentó en el brazo del sofá.

—¿Por qué no empiezas desde el principio? —le sugirió—. Me gustaría escucharla entera.

»Me llamo Motholeli y tengo trece años, casi catorce. Mi hermano tiene siete. Mis padres han muerto. Eso me da mucha pena, pero estoy contenta de no estar muerta también y de tener a mi hermano conmigo.

»He tenido tres vidas. La primera cuando vivía con mi madre y todos mis tíos en Makadikadi, cerca de Nata. De eso hace mucho tiempo, yo era muy pequeña. Eran bosquimanos e iban de un sitio a otro. Sabían encontrar comida en la sabana escarbando la tierra en busca de raíces. Eran muy inteligentes, pero no caían bien a nadie.

»Mi madre me dio una pulsera hecha con piel de avestruz, que tenía trozos de cáscara de huevo de avestruz cosidos a ella. Aún la tengo. Es lo único que conservo de mi madre, ahora que está muerta.

»Cuando murió, rescaté a mi hermano pequeño, que había sido enterrado en la arena con ella. Sólo tenía una capa de arena muy delgada, de modo que le quité la arena de la cara y vi que todavía respiraba. Recuerdo que le cogí en brazos y corrí por toda la sabana hasta que llegué a una carretera. Apareció un hombre en un camión, paró al verme y me llevó a Francistown. No recuerdo lo que pasó allí, sólo sé que me enviaron con una mujer que me dijo que podíamos vivir en su jardín. Tenía una pequeña cabaña en la que hacía mucho calor cuando daba el sol, pero de noche refrescaba; mi hermano y yo dormíamos allí.

»Le alimentaba con la comida que me daban en la casa. Hacía cosas para esa gente tan buena, les lavaba la ropa, se la tendía y fregaba algunos cacharros; no tenían asistenta. En el jardín también había un perro, un día me mordió en el pie y me hizo daño. El marido de la mujer se enfadó con él y le pegó con un palo. Como era muy malo y le pegaban mucho, al final se murió.

»Me puse muy enferma y la mujer me llevó al hospital. Me pincharon y me sacaron un poco de mi sangre. Pero no pudieron curarme y al cabo de un tiempo ya no podía andar. Me dieron unas muletas, pero no sabía andar muy bien con ellas. Luego me dieron una silla de ruedas, ya podía volver a casa, pero la mujer dijo que no podía tener a una chica en silla de ruedas viviendo en su jardín, por miedo a que la gente dijera: "¿Qué hace viviendo en su jardín una niña que va en silla de ruedas? ¡Qué cruel!".

»Entonces vino un hombre que dijo que buscaba huérfanos para llevarlos al orfanato. Había con él una señora del Gobierno. Me dijo que era muy afortunada por ir a un orfanato tan bueno, que podía llevarme a mi hermano y que allí seríamos muy felices, pero que me acordara siempre de querer a Jesús. Yo le contesté que estaba dispuesta a querer a Jesús y que enseñaría a mi hermano a quererle también.

»Ahí termina mi primera vida. La segunda empezó el día que llegué al orfanato. Fuimos desde Francistown en camión, era muy incómodo y pasé mucho calor sentada ahí detrás. No salí en todo el rato porque el conductor no sabía qué hacer con una chica en silla de ruedas. Así que llegué al orfanato con el vestido mojado, por lo que pasé mucha vergüenza, sobre todo porque todos los huérfanos estaban ahí, de pie, para vernos llegar. Una de las mujeres del orfanato les dijo a los niños que se fueran a jugar y que dejaran de mirarnos, pero no se fueron muy lejos y me espiaron desde detrás de los árboles.

»Todos los huérfanos vivían en casas. En cada casa había unos diez huérfanos y una madre que cuidaba de ellos. La madre de mi casa, mi supervisora, era una buena mujer. Me dio ropa nueva y un armario para guardar mis cosas. Hasta entonces nunca había tenido un armario, y estaba muy contenta. También me dieron unos clips especiales para ponerme en el pelo. Nunca había tenido cosas tan bonitas, y las guardé debajo de mi almohada para que estuvieran a salvo. A veces me despertaba por las noches y pensaba en la suerte que tenía, pero otras veces lloraba porque pensaba en mi primera vida y en todos mis tíos, y me preguntaba dónde estarían. Desde mi cama, a través de un hueco entre las cortinas, veía las estrellas y pensaba: "Si ahora miraran al cielo, verían las mismas estrellas que yo; estaríamos mirándolas en el mismo momento". Pero me preguntaba si se acordarían de mí, porque no era más que una niña y me había ido de su lado.

»En el orfanato era muy feliz. Trabajaba mucho, y mma Potokwani, la directora, me dijo que, con suerte, tal vez algún día nos encontraría unos nuevos padres. Yo no pensé que fuera posible; nadie querría llevarse a una niña en silla de ruedas, habiendo un montón de niñas mejores que yo, que caminaban perfectamente y que también necesitaban un hogar.

»Pero acertó. Nunca me imaginé que sería el señor J. L. B. Matekoni el que nos adoptara, pero me puse muy contenta cuando me dijo que podíamos irnos a vivir con él. Así es como empezó mi tercera vida.

»El día que nos fuimos del orfanato nos hicieron un pastel especial, que comimos con la supervisora. Dijo que siempre que se iba uno de los huérfanos se ponía muy triste, porque era como perder a un miembro de la familia. Pero conocía muy bien al señor J. L. B. Matekoni, y me dijo que era una de las mejores personas que había en Botsuana, y que en su casa seríamos muy felices.

»De modo que nos fuimos a su casa, mi hermano pequeño y yo, y enseguida conocimos a su amiga, mma Ramotswe, que pronto se casará con él. Mma Ramotswe dijo que sería mi nueva madre y nos llevó a su casa, que está más preparada para que vivan niños que la del señor J. L. B. Matekoni. Tengo una habitación estupenda y me han dado mucha ropa nueva. Me alegra que en Botsuana haya gente así. He tenido una vida muy feliz y se lo agradezco de todo corazón a mma Ramotswe y al señor J. L. B. Matekoni.

»De mayor me gustaría ser mecánica. Ayudaré al señor J. L. B. Matekoni en el taller, y por las noches le zurciré la ropa a mma Ramotswe y le prepararé la cena. Y, así, cuando sean muy mayores, podrán sentirse orgullosos de mí, y decir que he sido una buena hija y una buena ciudadana de Botsuana.

»Ésta es la historia de mi vida. Soy una chica como otra cualquiera, pero tener tres vidas es una suerte. La mayoría de la gente sólo tiene una.

»Esta historia es verdadera, no me la he inventado. Todo es verdad.»

Cuando terminó, todos permanecieron en silencio. El niño miró a su hermana y sonrió, pensando: «Tengo mucha suerte de tener una hermana tan lista. Espero que Dios algún día le devuelva sus piernas». Mma Ramotswe miró a Motholeli y posó suavemente una mano sobre su hombro, mientras pensaba: «Cuidaré de esta niña. Ahora soy su madre». Y Rose, que había estado escuchando en el pasillo, se miró los zapatos y pensó: «¡Qué forma tan rara de verlo! ¡Tres vidas!».

8

Bajos niveles de serotonina

Lo primero que hizo mma Ramotswe a la mañana siguiente fue llamar por teléfono a casa del señor J. L. B. Matekoni, cercana al viejo Defence Force Club de Botsuana. Solían llamarse casi todas las mañanas —al menos desde su compromiso—, pero normalmente era él quien llamaba. Esperaba a que mma Ramotswe se hubiera tomado su taza de té de rooibos en el jardín antes de marcar su número de teléfono y decir ceremoniosamente:

«Soy el señor J. L. B. Matekoni, mma. ¿Ha dormido usted bien?».

El teléfono sonó unos minutos antes de que lo cogieran.

—¿Señor J. L. B. Matekoni? Soy yo. ¿Cómo se encuentra? ¿Ha dormido bien?

La voz del otro lado de la línea parecía confusa, y mma Ramotswe se dio cuenta de que le había despertado.

—¡Oh, sí! Mmm... ya estoy despierto.

Mma Ramotswe hizo hincapié en el saludo formal. Era importante preguntarle a alguien qué tal había dormido; era una vieja tradición que había que mantener.

—Pero ¿ha dormido usted bien, rra?

La voz del señor J. L. B. Matekoni perdió energía cuando respondió:

—No, creo que no. Me he pasado toda la noche pensando y no he pegado ojo. Me he acostado cuando todo el mundo se levantaba. Ahora mismo estoy muy cansado.

—Lo siento mucho, rra. Y lamento haberle despertado. Váyase a la cama y duerma un poco. No se puede vivir sin dormir.

—Eso ya lo sé —repuso el señor J. L. B. Matekoni irritado—. Llevo días intentando dormir, pero no hay manera. Es como si hubiera una especie de animal en la habitación que no parase de molestarme.

—¿Un animal? —preguntó mma Ramotswe—. ¿Qué clase de animal?

—No hay ningún animal, o por lo menos yo no veo ninguno cuando enciendo la luz. Es sólo que tengo la impresión de que hay algo ahí que no me deja conciliar el sueño. A eso me refería con lo del animal, no a que hubiera ninguno de verdad.

Mma Ramotswe se quedó callada, luego preguntó:

—¿Seguro que se encuentra bien, rra? A lo mejor está enfermo.

El señor J. L. B. Matekoni resopló.

—No, no estoy enfermo. El corazón me late con fuerza y puedo meter aire en los pulmones hasta llenarlos. Lo que ocurre es que estoy harto de tantos problemas. Me preocupa que puedan descubrirme en este estado; si me descubren, todo habrá terminado.

Mma Ramotswe arqueó las cejas.

—¿Que puedan descubrirle? ¿Quiénes?

El señor J. L. B. Matekoni dijo a media voz:

—Ya sabe de qué estoy hablando, lo sabe perfectamente.

—No tengo la menor idea, rra. Lo único que sé es que está diciendo cosas muy raras.

—¡Ya, ya...! Eso es lo que dice, pero sabe muy bien de qué estoy hablando. He cometido muchas atrocidades en mi vida y ahora lo averiguarán y me detendrán. Me castigarán, y usted se avergonzará de mí, mma. Ya lo verá.

Mma Ramotswe se quedó sin habla; estaba tratando de entender lo que acababa de oír. ¿Sería cierto que el señor J. L. B. Matekoni había cometido un terrible crimen que le había ocultado? ¿Le habrían pillado ahora? No, imposible. Era un buen hombre, era incapaz de hacer nada deshonroso; claro que ese tipo de personas a veces tenía un oscuro secreto en su pasado. Todo el mundo tiene, como mínimo, una cosa de la que avergonzarse o, al menos, eso es lo que ella había oído. En una ocasión el propio obispo Makhulu habló de esto en el Club de Mujeres y dijo que no conocía a nadie, ni siquiera de la Iglesia, que no hubiera hecho algo de lo que se arrepintiera. Hasta los santos habían cometido errores; tal vez San Francisco había pisoteado a una paloma —no, seguro que eso no lo hizo—, pero puede que hiciera algo de lo que se hubiera arrepentido. En lo que a ella concernía, había muchas cosas que hubiera preferido no hacer, empezando por aquella vez en que, con seis años, manchó de melaza el mejor vestido de otra niña porque ella no tenía uno igual. Aún veía a esa mujer de cuando en cuando; vivía en Gaborone y estaba casada con un hombre que trabajaba en el Centro de Clasificación de Diamantes. Mma Ramotswe se preguntó si, aunque hubieran pasado treinta años, debía confesarle que había sido ella la que le había estropeado el vestido; pero no se atrevía a hacerlo. Cada vez que se encontraban y esta mujer la saludaba con amabilidad, mma Ramotswe se veía a sí misma cogiendo la lata de melaza y volcándola sobre el vestido rosa que su compañera se había dejado ese día en clase. Algún día se lo diría; quizá le pidiera al obispo Makhulu que le escribiera una carta de su parte. «Una de mis feligresas quiere que la perdone, mma. Lleva muchos años cargando dolorosamente con algo que le hizo. ¿Recuerda su vestido rosa favorito...?»

Si el señor J. L. B. Matekoni había hecho algo por el estilo, como tirarle gasolina a alguien, no tenía de qué preocuparse. Había pocos errores, el asesinato por ejemplo, que no pudieran enmendarse. De hecho, muchos eran menos graves de lo que el transgresor se imaginaba, y podían olvidarse y dejarse tranquilamente donde estaban, en el pasado. Incluso los más graves, una vez confesados, podían perdonarse. Era preciso que tranquilizara al señor J. L. B. Matekoni; si uno no paraba de darle vueltas a un asunto en toda la noche, era lógico que acabara sacándolo de quicio.

—Todos hemos cometido errores en esta vida, rra —apuntó—. Usted, mma Makutsi, yo y hasta el Papa. Nadie es perfecto. Nadie. No se preocupe. Dígame de qué se trata, seguro que no es para tanto.

—No, no puedo, mma. No sabría ni por dónde empezar. Le sorprendería tanto que no querría volver a verme en su vida. ¿No ve que no valgo nada? No soy digno de usted, mma.

Mma Ramotswe empezaba a ponerse nerviosa.

—Esto no tiene ni pies ni cabeza. ¡Por supuesto que es digno de mí! Yo no soy nada del otro mundo, y usted es un buen hombre. Es bueno en su trabajo y la gente le tiene en mucha estima. ¿A qué taller lleva su coche el Alto Comisionado británico? Al suyo. ¿A quién llama el orfanato cuando necesitan alguna reparación? A usted. Es dueño de un gran taller, será para mí un honor casarme con usted, y no se hable más.

Su parrafada fue recibida en silencio por el señor J. L. B. Matekoni, que después dijo:

—Pero si no sabe lo mala persona que soy, nunca le he hablado de esas cosas atroces.

—Explíquemelo, adelante, explíquemelo, podré soportarlo.

—Es que no puedo, mma. Le daría un disgusto.

Mma Ramotswe se dio cuenta de que la conversación no iba a llevar a ninguna parte y cambió de táctica.

—Hablando del taller —comentó—, no pasó por ahí ni ayer ni anteayer. Mma Makutsi se está ocupando de todo en su ausencia, pero esta situación no puede durar eternamente.

—Me alegro de que lo lleve ella —repuso el señor J. L. B. Matekoni con dejadez—. En estos momentos no me siento muy bien. Creo que es mejor que me quede en casa. Ella se encargará de todo. Por favor, déle las gracias de mi parte.

Mma Ramotswe respiró hondo.

—Usted no está bien, señor J. L. B. Matekoni, tendría que verle un médico. Ya he hablado con el doctor Moffat y me ha dicho que le atenderá, que cree que es una buena idea que vaya a verle.

—No me pasa nada —replicó él—, no necesito que me vea ningún médico. Además, no podría hacer nada por mí.

La conversación no la había dejado más tranquila, y después de colgar, mma Ramotswe paseó unos cuantos minutos, nerviosa, de un lado a otro de la cocina. Estaba claro que el doctor Moffat había acertado; el señor J. L. B. Matekoni estaba enfermo —según el doctor tenía depresión—, pero lo que ahora le preocupaba más era eso tan terrible que él decía que había hecho. No había nadie con menos probabilidades de ser un asesino que el señor J. L. B. Matekoni, pero ¿y si resultaba que era cierto? ¿Y si descubría que había matado a alguien? ¿Dejaría de sentir lo que sentía por él, o se diría a sí misma que, en realidad, no había sido culpa suya, que sólo había golpeado a su víctima en la cabeza con una llave inglesa para defenderse? Eso era lo que, inevitablemente, hacían todas las novias y mujeres de asesinos. Nunca aceptaban que sus novios o maridos fueran capaces de matar. Las madres hacían tres cuartos de lo mismo; siempre insistían en que sus hijos no eran tan malos como se pensaba la gente. Naturalmente, para ellas sus hijos seguían siendo niños, tuvieran la edad que tuvieran, y los niños no pueden ser culpables de asesinato.

Ni que decir tiene que Note Mokoti podría haber sido un asesino. Era bastante capaz de matar a alguien a sangre fría; porque no tenía sentimientos. Resultaba fácil imaginárselo apuñalando a alguien y yéndose tranquilamente, como si sólo le hubiera dado la mano a su víctima. Cuando le había pegado a ella, cosa que había hecho un montón de veces antes de abandonarla, tampoco había mostrado ningún sentimiento. Un día en que le dio una bofetada tan fuerte que le partió la ceja, se acercó como si fuese un médico que estuviera examinando la herida, y le dijo con indiferencia:

—Será mejor que vayas al hospital. Ese corte tiene mala pinta, deberías ir con más cuidado.

Lo único que agradecía de todo el episodio con Note era que su papaíto siguiera con vida después de haber roto con él. Se había pasado casi dos años sufriendo por esa relación de su hija, y al menos tuvo el placer de saber que ya no estaba con ese hombre. Cuando mma Ramotswe fue a decirle que Note se había ido de casa, su padre, por más que pudiera pensarlo, no hizo alusión alguna a la estupidez que había cometido casándose con él. Se limitó a decirle que volviera a vivir a su casa, con él, que siempre cuidaría de ella y que esperaba que en adelante su vida mejorara. Se comportó, como siempre, con una dignidad absoluta. Y ella lloró, y se fue a vivir con él, y él le dijo que ahí estaría a salvo y que ya no tendría que volver a pasar miedo.

Pero Note Mokoti y el señor J. L. B. Matekoni eran totalmente distintos. Era Note el que había cometido los crímenes, no el señor

J. L. B. Matekoni. Entonces, si era inocente, ¿por qué insistía en que había hecho algo atroz? Mma Ramotswe estaba confusa, y como hacía siempre que se sentía así, decidió irse al mejor centro de información, el Book Centre, lugar que le ayudaba a uno a relativizar cualquier tema que suscitara dudas o disputas.

Desayunó deprisa y dejó a los niños al cuidado de Rose. Le hubiera gustado dedicarles un poco de atención, pero su vida era excesivamente complicada. El señor J. L. B. Matekoni había pasado a encabezar su lista de tareas, seguido del taller, la investigación de los problemas del hermano del político y el traslado al despacho nuevo. No era una lista fácil: todo requería cierta prisa, y el día no tenía más horas que las que tenía.

Recorrió en la pequeña furgoneta blanca la escasa distancia que había hasta el centro de la ciudad y aparcó detrás del Standard Bank. Cruzó la plaza en dirección al Book Centre y saludó por el camino a un par de conocidos. Era su tienda favorita, y normalmente se pasaba en ella una hora hasta para la compra más sencilla, lo que le daba tiempo de sobras a curiosear por los estantes; pero esta mañana tenía una clara y preocupante misión entre manos, y se resistió a la tentación de echar un vistazo a los estantes de revistas con fotos de casas reformadas y vestidos maravillosos.

—Quisiera hablar con el dueño —le dijo a una empleada.

—Tal vez yo pueda ayudarla —se ofreció la joven.

Mma Ramotswe se mostró inflexible. La chica era educada, pero demasiado joven; sería mejor que hablara con alguien que entendiera mucho de libros.

—No —repuso—, quiero hablar con el dueño, mma. Se trata de algo importante.

Llamaron al dueño, que saludó a mma Ramotswe educadamente.

—Me alegro de verla —comentó—. ¿Viene por un tema relacionado con alguna investigación, mma?

Mma Ramotswe se echó a reír.

—No, rra, pero necesito encontrar un libro que me ayude a enfocar un asunto delicado. ¿Podemos hablar en confianza?

—Por supuesto, mma —contestó el hombre—. Los libreros somos muy respetuosos. Si un cliente no desea que nadie sepa lo que lee, nosotros no soltamos prenda.

—Bien, busco un libro que trate de una enfermedad llamada depresión. ¿Sabe de alguno sobre ese tema?

El dueño asintió.

—No se preocupe, mma. No sólo sé de alguno sobre ese tema, sino que tengo uno en la tienda. Si quiere, puede comprarlo. —Hizo una pausa—. Lamento que tenga usted depresión, mma; no es una enfermedad fácil.

Mma Ramotswe alzó la vista.

—Yo estoy bien —aclaró—; se trata del señor J. L. B. Matekoni, creo que tiene depresión.

El dueño la miró compasivamente y la condujo hasta un estante que había en una esquina, del que extrajo un delgado libro de tapas rojas.

—Este libro está muy bien —afirmó, dándoselo a mma Ramotswe—. En la contracubierta aparece gente que asegura que les ha servido de gran ayuda. Por cierto, siento mucho lo del señor J. L. B. Matekoni; espero que con este libro se sienta mejor.

—Muchas gracias, rra, ha sido usted muy amable —dijo mma Ramotswe—. Somos muy afortunados por tener una librería como ésta en nuestro país, gracias.

Pagó el libro y volvió a la pequeña furgoneta blanca mientras lo hojeaba. Hubo una frase que le llamó la atención especialmente y se paró en seco para leerla:

Un rasgo distintivo de una depresión aguda es la sensación de haber hecho algo terrible, por ejemplo, de haber contraído una deuda o haber cometido un crimen. Suele ir acompañada de un sentimiento de inferioridad. Ni que decir tiene que la barbaridad imaginada normalmente nunca se ha llegado a cometer, pero ningún razonamiento convencerá al enfermo.

Mma Ramotswe leyó de nuevo el párrafo y se puso de muy buen humor. No debía de estar previsto que los libros sobre depresión produjeran ese efecto en los lectores, pero eso es lo que sucedió. ¡Pues claro que el señor J. L. B. Matekoni no había hecho nada malo!; seguía siendo el mismo hombre impecable de siempre. Ahora, lo único que tenía que hacer era conseguir que fuera a ver a un médico para que lo tratara. Cerró el libro y echó un vistazo al resumen de la contracubierta, donde ponía: «Es una enfermedad perfectamente curable...». Eso la animó aún más. Sabía lo que tenía que hacer; así como esa misma mañana su lista de tareas le había parecido larga y complicada, ahora en cambio la encontraba más corta, menos intimidatoria.

Desde el Book Centre se fue directamente a Tlokweng Road Speedy Motors. Sintió alivio al ver que el taller estaba abierto y que mma Makutsi estaba delante del despacho tomándose un té. Los dos aprendices estaban sentados en sus barriles de aceite, uno fumando un cigarrillo y el otro tomándose un refresco.

—Es bastante pronto para hacer un descanso —observó mma Ramotswe mirando a los aprendices.

—Verá, mma, creo que nos lo merecemos —comentó mma Makutsi—. Hace dos horas y media que hemos llegado. Hoy hemos empezado a las seis y no hemos parado ni un segundo.

—Es cierto —corroboró uno de los chicos—, no hemos parado. Y hemos hecho algo fantástico, mma. Cuénteselo, mma Makutsi, cuéntele lo que ha hecho.

—Esta directora en funciones es una mecánica de primera —intervino el otro aprendiz—. Yo diría que hasta es mejor que el jefe.

Mma Makutsi se rió.

—Chicos, me parece que estáis demasiado acostumbrados a piropear a las mujeres. Pero conmigo no funcionará, estoy aquí como directora, no como mujer.

—¡Pero si es verdad, mma Ramotswe! —exclamó el aprendiz de más edad—. Si ella no se lo cuenta, se lo contaré yo. Teníamos un coche que llevaba aquí cuatro o cinco días. Es de una enfermera del Hospital Princess Marina, una mujer muy corpulenta. No quisiera tener que bailar con ella, ¡qué horror!

—Tampoco creo que ella quisiera bailar contigo —le espetó mma Makutsi—. Pudiendo bailar con cirujanos, ¿por qué iba a querer bailar con un chico tan grasiento como tú?

El aprendiz se tomó el insulto a broma.

—La cuestión es que cuando trajo el coche al taller nos comentó que de repente se le paraba en medio del tráfico, y que tenía que esperar un rato antes de volverlo a poner en marcha. Entonces funcionaba hasta que volvía a pararse.

»Le echamos un vistazo. Me fui en coche hasta el viejo aeropuerto e incluso hasta la carretera de Lobatsi. No pasó nada raro, no se paró. Pero como esta mujer insistía en que siempre se le paraba, le cambié las bujías y volví a probarlo. Esta vez se me paró justo al lado del Club de Golf, así, sin más. Y luego volvió a ponerse en marcha. Entonces pasó algo muy curioso de lo que la mujer ya nos había advertido. Cuando el coche se paró, los limpiaparabrisas se activaron solos, yo no los toqué.

»En fin, que esta mañana le he comentado a mma Makutsi que el coche éste era muy raro porque se ponía en marcha y se paraba cuando quería.

»Así que le ha echado un vistazo. Ha examinado el motor, ha visto la batería y las bujías nuevas, luego se ha metido en el coche y ha puesto esta cara, ¿lo ve? Así, con la nariz fruncida, y ha dicho: "Este coche huele a ratón, estoy segura de que huele a ratón".

»Entonces lo ha mirado por todas partes, primero debajo de los asientos y después debajo del salpicadero, y al mirar allí se ha puesto a gritar: "¡Hay una ratonera! Los ratones se han comido la cinta aislante de los cables. ¡Mirad!".

»Nos hemos acercado para verlos; son cables muy importantes porque están conectados con el sistema de ignición, y dos de ellos se rozaban justo por la zona roída. Eso hacía que el motor se parara cada vez que los cables se tocaban y que se activara el limpiaparabrisas. Esto es lo que ha pasado; mientras tanto, los ratones se han ido del coche tras ser descubiertos. Mma Makutsi ha sacado el nido y lo ha tirado. Luego ha puesto cinta en los cables, y problema resuelto. Gracias a que es tan buena detective ya no hay ratones en el coche.

—Es una mecánica detective —intervino el otro aprendiz—. Haría feliz a un hombre, pero creo que lo agotaría. ¡Ja, ja, ja!

—¡Silencio, chicos! —ordenó mma Makutsi en tono jocoso—. ¡A trabajar! Soy la directora en funciones y no una de esas chicas con las que alternáis en los bares. ¡Volved al trabajo!

Mma Ramotswe se rió.

—Es evidente que tiene usted talento para averiguar cosas, mma. Al fin y al cabo, tal vez no haya tanta diferencia entre un detective y un mecánico.

Entraron en el despacho. Mma Ramotswe notó de inmediato que mma Makutsi había puesto orden en el caos. Aunque la mesa del señor J. L. B. Matekoni seguía estando llena de papeles, al menos ahora estaban divididos en grupos; las facturas que había que enviar estaban en un lado y las que había que pagar en otro. Los catálogos de los proveedores se habían amontonado encima de un archivador, y los manuales de coches habían vuelto a colocarse en el estante que había encima de la mesa. Y en un rincón de la habitación, apoyado contra la pared, había una vistosa pizarra blanca en la que mma Makutsi había escrito el encabezamientode dos columnas: COCHES QUE ENTRAN y COCHES QUE SALEN.

—En la Escuela de Secretariado —apuntó mma Makutsi— nos enseñaron la importancia de tener un sistema. Con un sistema que te indique por dónde vas, es imposible perderse.

—Es verdad —convino mma Ramotswe—. Está claro que en esa Escuela saben de negocios.

Mma Makutsi sonrió satisfecha.

—Es más, creo que sería muy útil que tuviera usted listas —añadió.

—¿Listas?

—Sí —contestó mma Makutsi pasándole una carpeta roja y grande—. Le he puesto la suya ahí dentro. Cada día me ocuparé de todo lo que pone en la lista. Verá que tiene tres columnas: URGENTE, NO URGENTE, PENDIENTE.

Mma Ramotswe suspiró. No quería tener más listas, pero tampoco quería decepcionar a mma Makutsi, que ciertamente sabía cómo dirigir un taller.

—Gracias, mma —se limitó a decir, y abrió la carpeta—. Veo que ya ha anotado cosas.

—Sí —repuso mma Makutsi—, es que ha llamado mma Potokwani. Ha preguntado por el señor J. L. B. Matekoni, pero le he dicho que no estaba aquí. Entonces me ha dicho que quería ponerse en contacto con usted, que si podía llamarla. Lo he anotado en la columna de NO URGENTE.

—La llamaré —aseguró mma Ramotswe—. Seguramente será por algún tema relacionado con los niños. Mejor que la llame ahora mismo.

Mma Makutsi volvió al taller para dar unas cuantas órdenes a los aprendices, y mma Ramotswe, mientras las oía desde el despacho, descolgó el teléfono —lleno de huellas de grasa— y marcó el número que su secretaria le había anotado en su lista. Mientras el teléfono sonaba hizo una marca roja al lado de lo único que había escrito en ella.

Contestó la propia mma Potokwani.

—Ha sido muy amable por llamarme, mma Ramotswe. ¿Qué tal están los niños?

—Bien, ya están completamente instalados.

—Me alegro. Verá, mma, quisiera pedirle un favor.

Mma Ramotswe sabía que el orfanato operaba así; que necesitaba de la ayuda de los demás y, naturalmente, todo el mundo estaba dispuesto a colaborar. Era imposible decirle que no a Silvia Potokwani.

—Adelante, mma. Dígame de qué se trata.

—Me gustaría que tomáramos un té juntas —explicó mma Potokwani—. ¿Podría venir esta misma tarde? Hay algo que debería ver.

—¿Y no puede decirme qué es?

—No, mma —respondió la directora del orfanato—. No sabría cómo explicárselo. Creo que será mejor que lo vea en persona.

9

En el orfanato

El orfanato estaba a unos veinte minutos de la ciudad. Ya había estado allí bastantes veces, aunque no tantas como el señor J. L. B. Matekoni, que acudía con frecuencia para ocuparse de algunas cosas que nunca acababan de funcionar bien. La bomba del pozo, por ejemplo, necesitaba cuidados regularmente, al igual que los frenos del minibús. Jamás escatimaba su tiempo; por eso en el orfanato, como en el resto de sitios, tenían un gran concepto de él.

A mma Ramotswe le caía bien mma Potokwani, que era pariente lejana suya por parte de madre. En Botsuana no era inusual estar emparentado con alguien; era algo que los extranjeros no tardaban en aprender cuando se daban cuenta de que podían estar hablando mal de una persona precisamente delante de un primo lejano de ésta.

Mma Potokwani estaba fuera de su despacho, hablando con un empleado, cuando mma Ramotswe llegó. Le indicó que estacionara la furgoneta en una zona de aparcamiento destinada a las visitas, a la sombra de un frondoso lilo, y la invitó a entrar.

—Está haciendo mucho calor estos días —comentó mma Potokwani—, pero en el despacho tengo un ventilador estupendo. Si lo pusiera al máximo de su capacidad, saldríamos todos volando; es un arma muy potente.

—Espero que no me haga eso —repuso mma Ramotswe. Durante unos instantes se imaginó a sí misma siendo lanzada del despacho de mma Potokwani, con la falda ondeando alrededor del cuerpo, volando por el cielo, desde donde podía ver los árboles, los caminos y el ganado, que la miraba atónito.

—Por supuesto que no —aseguró mma Potokwani—. Me encanta que venga a verme. Lo que no me gusta es que venga gente entrometida, gente que intenta decirme cómo debo dirigir el orfanato. A veces recibimos visitas de ese tipo; son personas que se meten donde no las llaman. Se creen que saben mucho de orfanatos, pero ¡qué va! Aquí las que saben son esas mujeres de ahí. —Señaló hacia fuera, donde dos corpulentas supervisoras, vestidas con batas azules, estaban paseando con un par de niños que apenas empezaban a dar sus primeros pasos, indecisos y tambaleantes; los llevaban firmemente cogidos por sus diminutas manos y los alentaban cariñosamente a andar—. Sí, ellas sí que saben —prosiguió mma Potokwani—. Se desenvuelven muy bien con toda clase de niños. Desde niños que están siempre tristes porque sus madres han muerto, pasando por otros conflictivos a los que han enseñado a robar, hasta niños impertinentes que no saben respetar a los mayores y que dicen palabrotas. Saben tratarlos a todos.

—Desde luego, son estupendas —concedió mma Ramotswe—. Los dos huérfanos que el señor J. L. B. Matekoni y yo hemos adoptado siempre dicen que aquí estaban muy contentos. Precisamente ayer Motholeli me leyó una redacción que había escrito en el colegio. Era la historia de su vida y la nombraba a usted, mma.

—Me alegro de que les gustara esto —apuntó mma Potokwani—. Esa niña es muy valiente. —Hizo una pausa—. Pero no la he hecho venir para hablar de los niños, sino porque quiero contarle algo muy extraño que ha sucedido, con lo que ni siquiera las supervisoras saben enfrentarse; por eso pensé en ponerme en contacto con usted. Llamé al señor J. L. B. Matekoni para pedirle su número de teléfono.

Alargó el brazo y le sirvió una taza de té a mma Ramotswe. Después le cortó un trozo del enorme pastel de frutas y nueces que había en un plato, en el extremo de la bandeja del té.

—Lo han hecho las mayores del centro —explicó mma Potokwani—. Les enseñamos a cocinar.

Mma Ramotswe aceptó encantada su gran ración de pastel y examinó la apetitosa fruta que contenía. Tendría por lo menos setecientas calorías, pensó, pero daba igual. Era una mujer de complexión tradicional y ese tipo de cosas no debían preocuparla.

—Como sabe, acogemos a todo tipo de niños —continuó mma Potokwani—. Nos los suelen enviar porque sus madres han muerto y nadie sabe quiénes son sus padres. Normalmente las abuelas no pueden hacerse cargo de ellos, bien porque están demasiado enfermas, o bien por falta de medios. Nos llegan a través de los trabajadores sociales o de la policía. A veces los abandonan por ahí y alguien se pone en contacto con nosotros.

—Tienen suerte de venir a parar aquí —afirmó mma Ramotswe.

—Sí. Y, normalmente, sea cual sea su historia, no nos sorprende porque hemos visto casos parecidos. Pero cada cierto tiempo topamos con uno atípico con el que no sabemos qué hacer.

—¿Es eso lo que ha ocurrido ahora?

—En efecto —contestó mma Potokwani—. Cuando termine su generosa porción de pastel, quiero que conozca a un niño. No tenía nombre y le pusimos uno botsuanés, como hacemos siempre que viene alguien sin nombre; pero eso suele ocurrir con los bebés, los niños de cierta edad suelen decirnos cómo se llaman; en cambio, éste no lo ha hecho. Es más, creo que ni siquiera sabe hablar. Le hemos llamado Mataila.

Mma Ramotswe se acabó el pastel y apuró su taza de té. Después se fue andando con mma Potokwani hasta una de las casas, que estaba en el extremo más lejano del círculo de viviendas donde se alojaban los huérfanos. Habían plantado judías, y el pequeño patio que había frente a la puerta estaba perfectamente barrido. Esta supervisora sí que sabe llevar una casa, dijo mma Ramotswe para sus adentros. Pero entonces, ¿cómo podía desesperarse con un simple niño?

Mma Kerileng, la supervisora, estaba en la cocina. Mientras se secaba las manos con el delantal saludó afectuosamente a mma Ramotswe e invitó a ambas mujeres a pasar al salón. La habitación había sido decorada con colores alegres, tenía dibujos de los niños colgados en un gran tablón, y en una esquina una caja llena de juguetes.

Mma Kerileng esperó a que sus invitadas se sentaran antes de tomar ella misma asiento en uno de los voluminosos sillones dispuestos alrededor de una mesa de centro.

—He oído hablar de usted, mma —le dijo a mma Ramotswe—. He visto su foto en los periódicos. Y, cómo no, también conozco al señor J. L. B. Matekoni de las veces que ha venido por aquí para arreglar algunas máquinas que siempre se nos estropean. Es usted una mujer afortunada por poderse casar con un hombre que arregla cosas; la mayoría de los maridos se limitan a romperlas.

Mma Ramotswe agradeció el cumplido con una inclinación de cabeza.

—Es un buen hombre —apuntó—. Ahora mismo no está en su mejor momento, pero espero que se recupere pronto.

—Yo también lo espero —manifestó mma Kerileng, y miró expectante a mma Potokwani.

—Quiero que mma Ramotswe conozca a Matalla —anunció la directora del orfanato—. Tal vez pueda ayudarnos. ¿Qué tal se encuentra hoy?

—Igual que ayer —contestó mma Kerileng—, y anteayer. Ese chico siempre está igual.

Mma Potokwani suspiró.

—¡Qué lástima! ¿Está durmiendo ahora? ¿Podemos entrar a verlo?

—Creo que ya está despierto —respondió la supervisora—. Comprobémoslo de todas formas.

Se levantó del sillón y las condujo por un lustroso pasillo. Mma Ramotswe se fijó, para su satisfacción, en que la casa estaba muy limpia. Podía imaginarse lo mucho que debía de trabajar mma Kerileng; el país estaba lleno de mujeres que trabajaban sin cesar y cuya labor era raramente elogiada. Y luego los políticos iban por ahí exigiendo el reconocimiento por haber levantado el país. ¿Cómo se atrevían a hacerlo? ¿Cómo se atrevían a reclamar para sí un mérito que correspondía a toda esa gente que, como mma Kerileng, entre otras mujeres, trabajaba tanto?

Se detuvieron frente a una puerta al fondo del pasillo y mma Kerileng extrajo una llave del bolsillo de su bata.

—Ni siquiera recuerdo cuándo fue la última vez que tuvimos que encerrar a un niño en un cuarto —comentó—. De hecho, creo que es la primera vez que nos pasa. Nunca hemos tenido que hacer una cosa así.

Su observación incomodó a mma Potokwani.

—Es la única manera —repuso ella—; de lo contrario, se escaparía.

—Lo sé, pero es una pena —se lamentó mma Kerileng.

Abrió la puerta; en la habitación sólo había un colchón. La ventana no tenía cristal y en su lugar había una gran reja de hierro forjado como las que se usaban para evitar robos. Sentado en la cama, con las piernas estiradas, había un niño de unos cinco o seis años completamente desnudo.

El niño las miró y durante un instante a mma Ramotswe le pareció ver en su cara una expresión de miedo, similar a la que se ve en un animal asustado, pero enseguida fue sustituida por una mirada ausente y vacía.

—Mataila —dijo mma Potokwani muy despacio en setsuana—. Mataila, ¿qué tal estás? Esta señora de aquí es mma Ramotswe, Ramotswe. ¿Puedes verla?

El muchacho miró a mma Potokwani fijamente a los ojos hasta que acabó de hablar. Después volvió a clavar la vista en el suelo.

—No creo que nos entienda, pero le hablamos igualmente —apuntó mma Potokwani.

—¿Han intentado hablarle en otras lenguas? —quiso saber mma Ramotswe.

Mma Potokwani asintió.

—En todas los que se nos han ocurrido. Hicimos venir a alguien del Departamento de Lenguas Africanas de la Universidad. Probó hasta las más raras, sólo por si había venido desde Zambia. Le habló en herero y en san, aunque salta a la vista que no es un mosaruo. Y nada, no hubo manera.

Mma Ramotswe dio un paso hacia delante para ver al chico más de cerca. Éste únicamente levantó ligeramente la cabeza, por lo que mma Ramotswe siguió avanzando.

—Tenga cuidado —le advirtió mma Potokwani—. Muerde. No siempre, pero sí bastante a menudo.

Mma Ramotswe se quedó quieta. Morder no era un método de lucha inusual en Botsuana; por lo que no era de extrañar que un niño mordiera. En Mmegi se había dado recientemente un caso de ataque de mordedura. Un camarero había mordido a un cliente tras haber discutido con él por un problema con el cambio, y acabaron en un juicio en el Tribunal de Magistrados de Lobatsi. El camarero fue condenado a un mes de cárcel, y también mordió al policía encargado de acompañarle hasta su celda; un ejemplo más, pensó mma Ramotswe, de la falta de vista de las personas violentas, ya que el segundo mordisco le valió tres meses más de cárcel.

Mma Ramotswe miró al niño.

—¿Mataila?

El chico no se movió.

—¿Mataila? —Alargó el brazo hacia él, pero estaba preparada para retirar la mano de golpe en caso necesario.

Mataila gruñó. No se le podía llamar de otra manera a ese sonido, pensó mma Ramtoswe, a ese suave sonido gutural que parecía haberle salido del pecho.

—¿Lo ha oído? —le preguntó mma Potokwani—. No irá a decirme que no es raro. Y si se está preguntando por qué está desnudo, es porque rasgó la ropa que le dimos. La desgarró con los dientes y la escupió al suelo. Le dimos dos pantalones cortos, e hizo lo mismo con los dos.

Entonces mma Potokwani avanzó.

—Venga, Mataila —le dijo—. Levántate y ven con nosotras, que mma Kerileng te llevará a tomar el aire.

Alargó la mano y cogió cuidadosamente al niño por el brazo. Éste volvió momentáneamente la cabeza, y mma Ramotswe pensó que iba a darle un mordisco a mma Potokwani, pero no lo hizo, se puso dócilmente de pie y dejó que lo sacaran de la habitación.

Una vez fuera, mma Kerileng lo condujo de la mano hacia un grupo de árboles que había al fondo del círculo de casas. Mma Ramotswe observó que Mataila tenía unos andares bastante extraños, ni andaba ni corría, era como si de pronto fuera a saltar.

—Pues ya lo ha visto —concluyó mma Potokwani mientras observaban a la supervisora alejándose con el chico—. ¿Qué le parece?

Mma Ramotswe esbozó una sonrisa.

—Es muy raro. A ese niño debe de haberle pasado algo terrible.

—¡Sin duda! —exclamó mma Potokwani—. Eso le comenté al médico que le examinó y me dijo que era probable; pero que había muchos niños que eran así, que se encerraban en sí mismos y nunca aprendían a hablar.

Mma Ramotswe vio que mma Kerileng soltaba brevemente la mano de Mataila.

—Tenemos que vigilarle constantemente —explicó mma Potokwani—; de lo contrario, se escapa corriendo hasta la sabana y se esconde. La semana pasada desapareció durante cuatro horas. Al final le encontraron en la poza. No parece darse cuenta de que un niño que corre desnudo a toda velocidad puede llamar la atención.

Mma Potokwani regresó con mma Ramotswe hacia su despacho. Mma Ramotswe estaba desanimada, se preguntaba por dónde había que empezar con un chico así. Cubrir las necesidades de otros huérfanos —como los que vivían con ella en Zebra Drive— era fácil, pero ¡había tantos niños! Niños que de un modo u otro habían sufrido y que requerían paciencia y comprensión. Reflexionó sobre su propia vida, con sus listas y obligaciones, y se preguntó cuándo tendría tiempo para ser la madre de un niño como ése. ¿A ver si mma Potokwani estaría planeando que el señor J. L. B. Matekoni y ella también lo adoptaran? Sabía que la directora del centro tenía fama de obstinada y de no aceptar un no por respuesta —lo que, naturalmente, la convertía en una acérrima defensora de sus huérfanos—, pero no se la imaginaba imponiéndose de tal forma; porque era evidente que sería un gran abuso endosarle a ella este niño.

—Soy una mujer muy ocupada —empezó a decir mma Ramotswe mientras se acercaban al despacho—. Lo siento, pero no puedo quedarme...

Pasó por su lado un grupo de huérfanos, que saludaron educadamente a la directora del orfanato. Llevaban consigo un perrito desnutrido, que una de las niñas mecía en sus brazos; «se ayudan unos a otros», pensó mma Ramotswe.

—Id con cuidado con ese perro —advirtió mma Potokwani—. Os he dicho un montón de veces que no cojáis perros abandonados, pero no hay manera. —Se volvió a mma Ramotswe—: ¡Mma Ramotswe! Espero que no haya pensado que... ¡Pues claro que no pretendo que adopte usted a ese niño! Si ni siquiera nosotros sabemos cómo tratarle, y no será por falta de recursos.

—Estaba preocupada —reconoció mma Ramotswe—. Sabe que siempre estoy dispuesta a ayudar, pero yo también tengo un límite.

Mma Potokwani se rió y acarició suavemente a su invitada en el antebrazo para tranquilizarla.

—Lo sé. Ya nos ha ayudado llevándose a esos dos niños. No, sólo quería pedirle consejo. Sé que es una experta en gente desaparecida. ¿Podría simplemente decirnos cómo podemos averiguar cosas de este chico? Si lográramos saber algo de su pasado, de su origen, tal vez podríamos comunicarnos con él.

Mma Ramotswe sacudió la cabeza en señal de negación.

—Eso es muy difícil. Tendrían que hablar con gente que viva cerca del sitio donde fue encontrado. Tendrían que hacer un montón de preguntas y no creo que la gente quiera hablar, si no, ya habrían dicho algo.

—En eso tiene razón —concedió mma Potokwani apenada—. La policía ya hizo sus pesquisas en las afueras de Maun. Preguntaron en todos los pueblos de la zona y nadie había oído hablar de él. Enseñaron su foto, pero nadie le reconoció. No lo habían visto en su vida.

Mma Ramotswe no estaba sorprendida. Si alguien hubiera echado de menos al niño, habría hablado. Tanto silencio probablemente fuera debido a que había sido deliberadamente abandonado. Además, siempre cabía la posibilidad de que hubiera un tema de brujería relacionado con todo este asunto. En caso de que un hechicero local hubiera dicho que el niño estaba poseído o tenía un *tokolosi*, no se podía hacer nada por él. Es más, tenía suerte de estar aún con vida; porque el destino de esos niños solía ser bastante distinto.

Ya habían alcanzado la pequeña furgoneta blanca, sobre cuyo techo habían caído hojas del árbol, que mma Ramotswe recogió. ¡Qué delicadas eran las ramas de ese árbol! Tenían cientos de diminutas hojas que arrancaban de éstas; se parecían a las telas de araña, tan complejas. Oyeron a sus espaldas las voces de los niños; estaban cantando una canción que mma Ramotswe aún recordaba de su propia infancia y que le hizo sonreír.

El ganado vuelve a casa, un, dos, tres,
el ganado vuelve a casa,
los animales grandes y los pequeños,
y los que tienen un solo cuerno.
Vivo con el ganado, un, dos, tres,
¡oh, mamá, cuida de mí!

Miró fijamente a mma Potokwani. Cada arruga y expresión de su rostro indicaban una sola cosa: que era la directora del orfanato.

—¡Todavía se canta esta canción! —exclamó mma Ramotswe.

Mma Potokwani sonrió.

—Yo también la canto. Las canciones de la infancia nunca se olvidan, ¿verdad?

—Dígame una cosa —pidió mma Ramotswe—, ¿qué dijeron del chico los que le encontraron? ¿Dijeron algo?

Mma Potokwani reflexionó unos instantes.

—Le dijeron a la policía que lo encontraron escondido, que les costó mucho controlarle y que tenía un olor muy raro.

—¿Qué tipo de olor?

Mma Potokwani hizo un gesto con la mano, como para restarle importancia a esa información.

—Uno de los hombres aseguró que olía a león. El policía se acordó del comentario porque no era nada habitual. Lo anotó en su informe, que, finalmente, llegó a nuestras manos cuando los de administración tribal nos enviaron al niño.

—¿A león? —preguntó mma Ramotswe.

—Sí —respondió mma Potokwani—. Ya sé que suena ridículo.

Mma Ramotswe permaneció callada un momento. Se subió a la furgoneta y le dio las gracias a mma Potokwani por su hospitalidad.

—Pensaré en ello —añadió—. Tal vez se me ocurra algo.

Se despidieron con la mano mientras mma Ramotswe recorría el polvoriento camino y cruzaba la verja del orfanato, en la que había colgado un gran letrero hecho a mano que decía: «Aquí viven niños».

Condujo despacio porque en medio del camino había burros y vacas, y los vaqueros que cuidaban del ganado. Algunos eran muy jóvenes, no tendrían más de seis o siete años, como ese pobre y silencioso chico que había visto en su pequeña habitación.

«¿Y si uno de esos vaqueros se perdiera? —se preguntó mma Ramotswe—. ¿Y si se perdiera en medio de la sabana, lejos del corral? ¿Se moriría? ¿Qué le pasaría?»

10

La historia del funcionario

Mma Ramotswe se dio cuenta de que era necesario hacer algo con la Primera Agencia Femenina de Detectives. No les llevó mucho tiempo trasladar el mobiliario al nuevo despacho de la parte posterior de Tlokweng Road Speedy Motors; no había más que un archivador, con su contenido, unas cuantas bandejas metálicas para colocar los papeles pendientes de archivo, la vieja tetera con las dos tazas desconchadas y, por supuesto, la vieja máquina de escribir, que le había dado el señor J. L. B. Matekoni y que ahora volvía a casa. Fueron los aprendices quienes lo metieron todo en la pequeña furgoneta blanca, sin siquiera protestar porque aquello no formara parte de su trabajo. Era como si estuvieran dispuestos a hacer todo lo que mma Makutsi les pidiera; bastaba con un silbido para que uno de los dos fuera corriendo a ver qué quería.

Tanta sumisión desconcertaba a mma Ramotswe. Se preguntaba qué clase de atracción ejercía sobre esos dos chicos; porque mma Makutsi no era precisamente guapa. Para los gustos imperantes tenía la piel demasiado oscura, pensó mma Ramotswe, y la crema que usaba para aclararla le había dejado manchas; luego estaba su pelo, que a menudo se trenzaba, pero de una forma muy rara, y, cómo no, sus gafas, esas gafas de enormes cristales que, a juicio de mma Ramotswe, habrían podido usar por lo menos dos personas. Y, sin embargo, ahí estaba esa chica, esa chica que jamás habría superado la primera prueba eliminatoria de un certamen de belleza, reclamando las serviciales atenciones de esos dos jóvenes notoriamente difíciles. Era todo muy confuso.

Claro que era posible que detrás de todo esto hubiera algo más que el mero aspecto físico. Puede que mma Makutsi no fuera una belleza, pero desde luego tenía una fuerte personalidad que tal vez los aprendices hubieran percibido. Las reinas de la belleza no solían tener carácter, cosa que seguramente acababa por cansar a los hombres. Esos horribles certámenes que se organizaban —Miss Tiempo Especial para las Novias y Miss Industria del Ganado— convertían en famosas a las chicas más insustanciales, esas que después intentaban opinar sobre todos los temas habidos y por haber, y que a menudo eran escuchadas, algo que mma Ramotswe era incapaz de entender.

Sabía que los aprendices estaban al tanto de los concursos de belleza porque los había oído comentarlo. Pero ahora parecía que su principal preocupación era impresionar y adular a mma Makutsi. Uno de ellos incluso había intentado besarla, y había sido rechazado con divertida indignación.

—¿Desde cuándo un mecánico besa a su jefa? —le había preguntado mma Makutsi—. Vuelve al trabajo antes de que aporree tu inútil culo con un bastón.

Los aprendices tardaron sólo media hora en cargarlo todo en la furgoneta. Luego, con los dos chicos sentados detrás para sujetar el archivador, la Primera Agencia Femenina de Detectives, letrero pintado incluido, fue trasladada a su nuevo destino. Era un momento triste, y tanto mma Ramotswe como mma Makutsi estuvieron a punto de llorar cuando cerraron por última vez la puerta del despacho.

—No es más que un traslado, mma —dijo mma Makutsi intentando consolar a su jefa—. No hemos cerrado el negocio.

—Lo sé —repuso mma Ramotswe contemplando, quién sabe si por última vez, la vista que había desde el edificio: los tejados de la ciudad y las copas de los espinos—. Es que aquí he sido muy feliz.

«No hemos cerrado el negocio.» No, pero poco había faltado. En los últimos días, con tanto ajetreo y tanta lista, mma Ramotswe había dedicado muy poco tiempo a la agencia. De hecho, si se paraba a pensarlo, no le había dedicado nada de tiempo. Únicamente había un caso por resolver, y no había llegado ningún cliente más, aunque seguro que aparecerían. Al político le cobraría una buena cantidad de dinero por las horas de trabajo invertidas, pero eso iría en función del éxito del caso. Claro que también podía mandarle una factura, aunque no averiguara nada; pero cuando no conseguía ayudar a un cliente le daba apuro cobrar. Tal vez tendría que decidirse a hacerlo en este caso, pues el político era rico y podía pagar la factura sin problemas. Qué fácil debía de ser, pensó mma Ramotswe, tener una agencia que atendiera únicamente a las necesidades de los ricos, la Primera Agencia de Detectives para Ricos, porque cobrar nunca sería problemático. Pero su negocio no consistía en eso, y tampoco estaba segura de que la hubiera hecho feliz. A mma Ramotswe le gustaba ayudar a la gente, fuera del nivel social que fuera. A veces había dejado de cobrar un caso simplemente porque no sabía decirle que no a una persona que necesitara ayuda. «Es mi obligación —decía para sí—. Debo ayudar a todos los que me lo pidan. Mi deber es ayudar a la gente que tiene problemas.» Tampoco podían hacerse milagros. África estaba llena de gente en apuros y todo tenía un límite. Era imposible ayudar a todo el mundo; pero al menos sí a aquellos con los que uno tropezaba en la vida. De esta forma se contribuía a paliar el sufrimiento del entorno, que se convertía en el propio; y así, a su vez, otras personas harían algo con el sufrimiento que las rodeara.

Pero ¿qué podía hacer en este momento con los problemas de la empresa? Mma Ramotswe decidió que revisaría la lista y pondría el caso del político en cabeza. Lo que significaba que tendría que empezar a hacer indagaciones de inmediato, ¿y qué mejor que empezar sospechando del padre de la mujer? Había numerosas razones para ello; la más importante era que, si realmente había un complot para deshacerse del hermano del político, no habría sido idea de su mujer, sino que podría haber sido planeado por el padre de ésta. Mma Ramotswe estaba convencida de que la gente que incurría en delitos graves raras veces actuaba totalmente por iniciativa propia. Acostumbraba a haber alguien más involucrado, alguien que de alguna manera salía beneficiado, o alguien que pertenecía al entorno del perpetrador del crimen y que le daba apoyo moral. En este caso, lo más probable es que esta persona fuera el padre de la mujer. Si, como había dado a entender el político, este hombre estaba al tanto del ascenso social que el matrimonio de su hija implicaba y para él eso era importante, entonces era probable que fuera una persona socialmente ambiciosa. De ser así, le sería de gran interés eliminar a su yerno para, a través de su hija, poder tener mano en una parte sustancial de los bienes familiares. Lo cierto es que cuanto más pensaba en ello, más probable le parecía a mma Ramotswe que el intento de envenenamiento hubiera sido idea del funcionario.

Se imaginaba lo que pensaba, se lo imaginaba sentado en su pequeño despacho del ministerio, reflexionando en todo el poder y la autoridad que veía a su alrededor, y de los que sólo poseía una mínima parte.

Para alguien como él debía de resultar exasperante ver pasar al político en su coche oficial; político que, en realidad, era el cuñado de su hija. ¡Qué difícil debía de resultarle no obtener el reconocimiento que sin duda creía que tendría si hubiera más gente que supiera de su entroncamiento con una familia como ésa! Si el dinero y el ganado llegaran a sus manos —o a las de su hija, que vendría a ser lo mismo—, podría dejar su modesto cargo público y vivir como un granjero rico; pasaría de no tener reses a tener un montón de ganado; de tener que ahorrar para poderse costear un viaje anual a Francistown, a comer carne a diario y beber Lion Lager los viernes por la noche con sus amigos e invitarlos a varias rondas. Y lo que le impedía conseguir todo eso no era más que un pequeño corazón; si pudiera hacer que dejara de latir, su vida entera cambiaría.

El político le había dado a mma Ramotswe el apellido de la familia de su cuñada, y le había dicho que al padre de ésta le gustaba pasar su hora de comer sentado debajo de un árbol frente al ministerio; así pues, tenía toda la información que necesitaba: el apellido y el árbol.

—Voy a empezar con el caso nuevo —le anunció a mma Makutsi, una vez que se hubieron instalado en su nueva oficina—. Como usted tiene cosas que hacer en el taller, ya me ocupo yo de los casos de la agencia.

—Me parece muy bien —accedió mma Makutsi—; porque esto de dirigir un taller requiere mucha dedicación. Da mucho trabajo.

—Me alegra comprobar que los aprendices se están esforzando —comentó mma Ramotswe—. Hacen todo lo que usted les dice.

Mma Makutsi sonrió enigmáticamente.

—Son muy tontos —confesó—, y las mujeres ya estamos acostumbradas a tratar con hombres estúpidos.

—Entonces debe de haber tenido un montón de novios, mma —conjeturó mma Ramotswe—; porque creo que a estos chicos les gusta.

Mma Makutsi negó con la cabeza.

—Pues la verdad es que no, no he tenido ninguno. Por eso, con la cantidad de chicas guapas que hay en Gaborone, no entiendo por qué estos chicos se comportan así conmigo.

—Se subestima usted, mma —dijo mma Ramotswe—. Es obvio que los hombres la encuentran atractiva.

—¿Eso cree? —preguntó mma Makutsi, sonriendo contenta.

—Sí, eso creo —respondió mma Ramotswe—. Hay mujeres que mejoran a medida que pasa el tiempo. En serio. Mientras las más jóvenes, las reinas de la belleza, pierden atractivo con los años, éstas otras lo ganan. Es algo muy curioso.

Mma Makutsi parecía pensativa. Se ajustó las gafas, y mma Ramotswe se dio cuenta de que se estaba mirando con disimulo en el cristal de la ventana. No estaba segura de que lo que le había dicho fuera cierto, pero, aunque no lo fuera, lo daría por bien empleado, si servía para que mma Makutsi se sintiera más segura de sí misma. Siempre y cuando guardara las distancias —y a mma Ramotswe no le cabía duda de que así sería, al menos de momento—, no le haría ningún daño que ese par de inútiles la adularan.

Dejó a mma Makutsi en el despacho y se fue en la pequeña furgoneta blanca. Eran las doce y media; tardaría diez minutos en llegar, con lo que dispondría de tiempo suficiente para aparcar, ir hasta el ministerio y empezar a buscar al padre de la cuñada del político, Kgosi Sipoleli, funcionario ministerial y, si no le fallaba la intuición, presunto asesino.

Estacionó la furgoneta cerca de la iglesia católica; había mucho movimiento en la ciudad y no había plazas libres más cerca. Tendría que andar un poco, pero no le importaba; seguramente se encontraría con gente conocida por el camino, y así podría charlar unos minutos.

No se equivocó. Nada más volver la esquina se tropezó con mma Bopedi, la madre de Chemba Bopedi, una compañera suya de estudios en Mochudi. Chemba se había casado con Pilot Matanyani, recientemente nombrado director de un colegio en Selibi-Pikwe. Tenían siete hijos, el mayor de los cuales acababa de ser el ganador, entre otros catorce participantes, de las carreras de velocidad de Botsuana.

—¿Cómo está su nieto, el corredor? —le preguntó mma Ramotswe.

La mujer, ya de cierta edad, sonrió. Mma Ramotswe se fijó en que le quedaban pocos dientes y pensó que bien podría arrancárselos, y ponérselos todos postizos.

—¡Ah, sí, el corredor! ¡Ése sí que corre, sí! —exclamó mma Bopedi—. ¡Menudo fresco! Aprendió a correr rápido para poder hacer de las suyas. Por eso acabó siendo tan rápido.

—¡Pues sí que le ha sacado provecho! —repuso mma Ramotswe—. Quizás algún día vaya a los Juegos Olímpicos representando a Botsuana. Así demostrará al mundo entero que no todos los grandes corredores están en Kenia.

De nuevo se sorprendió a sí misma dándose cuenta de que lo que había dicho no era cierto. La verdad del asunto era que los mejores corredores de carreras eran de Kenia, porque eran muy altos y tenían las piernas largas, perfectamente diseñadas para correr. El problema de los batsuanos era su falta de altura. Los hombres solían ser rechonchos, cosa que estaba muy bien para cuidar del ganado, pero no para el atletismo. En realidad, la mayoría de los surafricanos no eran muy buenos atletas, aunque de vez en cuando algún zulú o suazi batía un récord en la pista, como ese fabuloso corredor, Richard «Concorde» Mavuso.

Los bóers también eran bastante buenos deportistas. Sus hombres eran altísimos, de gruesos muslos y cuellos anchos, como el ganado brahman.* Al parecer se les daba muy bien el rugby, aunque no eran muy listos. Ella prefería a los motsuanos, que tal vez no fueran

* Brahman: Raza derivada del cebú, mamífero bovino de África e India, parecido a un toro y con una o dos gibas de grasa sobre el lomo. *(N. de la T.)*

tan fuertes como esos jugadores de rugby ni tan rápidos como los atletas kenianos, pero que al menos eran astutos y de fiar.

—¿No cree, mma? —le preguntó a mma Bopedi.

—No creo, ¿qué? —replicó ésta.

Mma Ramotswe se dio cuenta de que había incluido a la mujer en sus reflexiones y se disculpó.

—Nada, sólo pensaba en nuestros hombres —comentó.

Mma Bopedi arqueó las cejas.

—¿Ah, sí? Bueno, la verdad es que a veces yo también lo hago. No muy a menudo, pero sí a veces. Ya sabe a qué me refiero.

Mma Ramotswe se despidió de mma Bopedi y siguió andando. Justo delante de la óptica se encontró con Motheti Pilai, que estaba de pie, quieto, con la vista clavada en el cielo.

—*Dumela*,* rra —saludó mma Ramotswe cortésmente—. ¿Está usted bien?

El señor Pilai la miró.

—¡Mma Ramotswe! —exclamó—. Por favor, deje que la mire. Acabo de comprarme estas gafas; hacía años que no veía tan bien. ¡Guau! ¡Qué maravilla! Ya había olvidado lo que es ver con claridad. Ahora la estoy mirando a usted, mma. Está muy guapa, y muy gorda.

—Gracias, rra.

Se bajó las gafas hasta la punta de la nariz.

—Mi mujer lleva tiempo diciéndome que necesitaba unas gafas nuevas, pero me daba miedo venir. No me gusta esa máquina con la que te iluminan los ojos, ni ésa otra que dispara aire; por eso lo posponía siempre. He sido un estúpido.

—No es bueno posponer las cosas —apuntó mma Ramotswe, pensando en cómo había pospuesto el caso del político.

—Lo sé —afirmó el señor Pilai—. El problema es que, aunque sepamos lo que más nos conviene, normalmente no lo hacemos.

—Sí, es muy raro —coincidió con él mma Ramotswe—, pero es así. Es como si en nuestro interior hubiera dos personas diferentes, y una nos dijera que hiciéramos una cosa y la otra que hiciéramos otra. Es como si tuviéramos dos voces dentro.

* Dumela es 'hola' en setsuana. *(N. de la T.)*

El señor Pilai miró fijamente a mma Ramotswe.

—¡Qué calor hace hoy! —comentó.

Ella estuvo conforme con él y cada uno se fue por su camino. Decidió que no volvería a pararse; era casi la una y quería tener tiempo suficiente para localizar al señor Sipoleli y mantener con él la conversación que daría inicio a su investigación.

No le costó identificar el árbol. Estaba cerca de la entrada principal del ministerio; era una gran acacia con una gran copa, que proyectaba un amplio círculo de sombra sobre el polvoriento suelo. Justo al lado del tronco había varias piedras estratégicamente colocadas, cómodos asientos para cualquiera que quisiera sentarse debajo del árbol y observar el desarrollo del ajetreo diario de Gaborone. Era la una menos cinco y aún no había nadie sentado en las piedras.

Mma Ramotswe escogió la piedra de mayor tamaño y se sentó en ella. Había traído un gran termo de té, dos tazas de aluminio y cuatro sándwiches de carne en conserva hechos con gruesas rebanadas de pan. Sacó una de las tazas y la llenó de té de rooibos. Después se reclinó sobre el tronco del árbol y esperó. Era agradable estar sentada a la sombra, con una taza de té, y contemplar el tráfico rodado. Nadie se fijó lo más mínimo en ella; claro que ver a una mujer gruesa sentada debajo de un árbol era una escena de lo más normal.

Poco después de la una y diez, cuando mma Ramotswe acababa de terminarse el té y estaba a punto de quedarse dormida en tan cómoda postura, salió alguien del ministerio en dirección hacia el árbol. A medida que se acercaba, mma Ramotswe se fue despertando. Ahora estaba de servicio y tenía que aprovechar al máximo la oportunidad de charlar con el señor Sipoleli, eso siempre y cuando se tratara del señor Sipoleli en persona.

Llevaba unos pantalones azules impecablemente planchados, una camisa blanca de manga corta y una corbata marrón oscura. Iba vestido como se vestiría un funcionario recién incorporado a la jerarquía ministerial. Y, para confirmar tal diagnóstico, llevaba varios bolígrafos perfectamente metidos en el bolsillo de la camisa. Sí, resultaba evidente que ese uniforme correspondía al de un funcionario de poco rango, aunque lo llevara alguien que rozaba la cincuentena. De modo que tenía ante sí a un funcionario que estaba estancado en el cargo en que estaba, sin posibilidad de ascender.

El hombre se acercó al árbol con cautela.

—Buenas tardes, rra —le saludó mma Ramotswe—. Qué calor hace hoy, ¿eh? Por eso me he sentado debajo de este árbol, es un buen sitio para sentarse cuando hace calor.

El hombre asintió.

—Sí —repuso—, yo siempre me siento aquí.

Mma Ramotswe fingió sorprenderse.

—¡Oh! Espero no haberme sentado en su piedra, rra. La he visto aquí y, como no había nadie, me he sentado.

El hombre hizo un gesto de impaciencia con las manos.

—¿En mi piedra? Bueno, de hecho, sí que es mi piedra. Pero éste es un lugar público y supongo que puede sentarse quien quiera.

Mma Ramotswe se puso de pie.

—No, rra, tenga usted su piedra; yo me sentaré en ésa de ahí.

—¡De ninguna manera, mma! —se apresuró a decir él cambiando de tono—. No se moleste, seré yo quien se siente en esa piedra.

—No, usted siéntese en ésta de aquí. Es su piedra. No me habría sentado en ella de haber sabido que era de alguien más. Yo me sentaré en esa otra, no pasa nada; siéntese usted en ésta.

—No —dijo él con firmeza—. Vuelva a donde estaba, mma. Yo puedo sentarme en esta roca todos los días y usted no. Ya me siento yo en ésa de ahí.

Mma Ramotswe, simulando disconformidad, volvió a su sitio y el señor Sipoleli se sentó en otra piedra.

—Estoy tomando un té, rra —comentó mma Ramotswe—, pero hay suficiente para dos personas. Y, dado que me he sentado en su piedra, me gustaría invitarle a una taza.

El señor Sipoleli sonrió.

—Es usted muy amable, mma. Me encanta el té. En mi despacho bebo un montón. Soy funcionario, ¿sabe?

—¿Ah, sí? —Mma Ramotswe puso cara de sorpresa—. Pues es un buen trabajo, debe de ser usted muy importante.

El señor Sipoleli se echó a reír.

—¡Qué va! —exclamó—. En absoluto. Soy subalterno, pero me considero afortunado. Están contratando a gente titulada para puestos como el mío, y yo, en cambio, no tengo más que el Certificado del Colegio de Cambridge. Considero que me ha ido bastante bien.

Mma Ramotswe le escuchó mientras le servía té. Sus palabras la habían desconcertado. Pensó que iba a encontrarse a otro tipo de persona, a un simple funcionario arrogante y ávido de ascender; pero, por el contrario, este hombre parecía estar bastante satisfecho con lo que era y con lo que había conseguido.

—¿Y no pueden ascenderle, rra? ¿Sería eso posible?

El señor Sipoleli reflexionó con detenimiento en la pregunta.

—Supongo que sí —contestó al cabo de un rato—. El problema es que tendría que pasar mucho tiempo con más gente de mi edad; decir determinadas cosas y escribir informes negativos sobre mis compañeros. Y no me gustaría hacerlo. No soy ambicioso. Estoy muy feliz donde estoy.

Mma Ramotswe le pasó la taza de té con la mano temblorosa. Esto no era ni mucho menos lo que se había imaginado. De pronto recordó un consejo de Clovis Andersen: «No haga nunca conjeturas a priori —había escrito—. No decida de antemano quién es quién y qué es qué, porque podría llevarle a una pista equivocada».

Decidió ofrecerle un sándwich, que extrajo de la bolsa de plástico. El hombre lo agradeció, pero cogió el más pequeño de todos; un indicio más, pensó ella, de que era una persona sencilla. El señor Sipoleli que se había imaginado no habría dudado en coger el sándwich más grande.

—¿Tiene usted familia en Gaborone, rra? —le preguntó con indiferencia.

El señor Sipoleli tragó el trozo de carne que tenía en la boca y contestó:

—Tengo tres hijas —explicó—. Dos son enfermeras, una en el Princess Marina y otra en Molepolole. Luego está la mayor, que era muy buena estudiante y fue a la universidad. Estamos muy orgullosos de ella.

—¿Y vive aquí, en Gaborone? —le preguntó mma Ramotswe mientras le daba otro sándwich.

—No —respondió él—, no vive aquí. Se casó con un chico que conoció en la universidad y viven en otro sitio; en esa dirección, por allí.

—Y su yerno, ¿qué me dice de él? ¿Es un buen marido?

—Sí —contestó el señor Sipoleli—. Es una gran persona. Son muy felices y espero que pronto tengan hijos. Estoy deseando ser abuelo.

Mma Ramotswe reflexionó unos instantes antes de decir:

—Lo mejor de que los hijos se casen debe de ser saber que cuidarán de uno cuando sea viejo.

El señor Sipoleli sonrió.

—Bueno, supongo que sí, pero la verdad es que mi mujer y yo tenemos otros planes. Queremos volver a Mahalapye; tengo un poco de ganado, nada del otro mundo, y algunas tierras. Allí seremos felices; sí, no queremos nada más.

Mma Ramotswe permaneció callada. Era evidente que este buen hombre, porque estaba claro que lo era, decía la verdad. Su sospecha de que pudiera estar detrás de un complot para matar a su yerno había sido una absurda conclusión, y se sentía tremendamente avergonzada. Para ocultar su confusión le ofreció otra taza de té, que el señor Sipoleli aceptó gustoso. Después de hablar un cuarto de hora más con él sobre cosas cotidianas, mma Ramotswe se levantó, se sacudió el polvo de la falda y le dio las gracias por haber compartido con ella su hora de comer. Ya sabía lo que necesitaba saber, por lo menos en lo que a él concernía. Pero el encuentro también planteaba algunas dudas en cuanto a sus conjeturas acerca de la hija. Si la hija era como el padre, no podía ser una envenenadora. Era imposible que un hombre bueno y modesto como el señor Sipoleli hubiera educado a una hija capaz de hacer semejante cosa. ¿O no? Claro que siempre cabía la posibilidad de que unos buenos padres tuvieran hijos conflictivos —no era necesario haber vivido mucho para darse cuenta de eso—; sin embargo, no parecía muy probable, lo que quería decir que la siguiente parte de la investigación requeriría un enfoque bastante más abierto que el que había caracterizado la fase inicial.

«He aprendido la lección», dijo mma Ramotswe para sí mientras se dirigía a la pequeña furgoneta blanca. Estaba sumida en sus pensamientos y apenas sí se dio cuenta de que el señor Pilai seguía delante de la óptica, con la mirada clavada en las ramas del árbol que había sobre su cabeza.

—He estado pensando en lo que me ha dicho antes —comentó en el momento en que ella pasaba junto a él—. Una observación muy interesante, mma.

—Sí —repuso mma Ramotswe ligeramente desconcertada—. Y me temo que no tengo la respuesta, no la tengo.

El señor Pilai sacudió la cabeza.

—Entonces habrá que seguir dándole vueltas —concluyó.

—Sí —afirmó ella—, eso parece.

11

El favor de mma Potokwani

El político le había dado a mma Ramotswe un número de teléfono directo, para que le llamara cuando quisiera sin tener que hablar con todas sus secretarias y ayudantes. Aquella tarde le llamó por primera vez, y él mismo cogió el teléfono. Parecía alegrarse de tener noticias suyas y se mostró satisfecho de que la investigación hubiera empezado.

—Me gustaría ir a la casa la semana que viene —anunció mma Ramotswe—. ¿Ha hablado ya con su padre?

—Sí —contestó el político—, y le he dicho que irá usted a descansar unos días; que me ha conseguido muchos votos entre las mujeres y que quiero devolverle el favor. La tratarán estupendamente.

Acordaron los detalles y el político le dio a mma Ramtoswe la dirección de la finca, que estaba saliendo de la carretera de Francistown, al norte de Pilane.

—Estoy seguro de que encontrará pruebas que delaten a esa mujer —apuntó el hombre—. Así podremos salvar a mi pobre hermano.

Mma Ramotswe se mostró evasiva.

—Bueno, ya veremos, no puedo prometerle nada. Ya veremos qué pasa.

—Por supuesto, mma —se apresuró a decir el político—. Es que confío plenamente en que averiguará lo que está ocurriendo. Sé que podrá encontrar pruebas contra esa mujer. Esperemos que llegue a tiempo.

Después de esta llamada, mma Ramotswe se sentó frente a su mesa y se quedó mirando fijamente a la pared. Acababa de tachar una semana entera de su agenda, y eso quería decir que todo lo que había en su lista tendría que dejarlo para más adelante. Por el momento, al menos no tenía que preocuparse ni del taller ni de las llamadas telefónicas; mma Makutsi podía encargarse de todo, y dado el caso de que, como venía siendo habitual en los últimos días, estuviera trabajando debajo de un coche, los aprendices estaban capacitados para coger el teléfono en su lugar.

¿Y qué pasaba con el señor J. L. B. Matekoni? Ése era el único asunto realmente complicado que seguía sin estar resuelto, y se dio cuenta de que había que hacer algo, y rápido. Ya había acabado de leer el libro sobre la depresión y sabía algo más acerca de cómo tratar sus desconcertantes síntomas. Pero siempre estaba el peligro de que el enfermo cometiera alguna imprudencia —el libro era bastante explícito en esto—, y le daba pavor la mera idea de que sus sentimientos y falta de autoestima llevaran al señor J. L. B. Matekoni a tal extremo. Tendría que conseguir de una forma o de otra que fuera a ver al doctor Moffat para empezar el tratamiento. Claro que se había negado rotundamente cuando se lo había dicho, y, si volvía a sugerírselo, probablemente obtendría la misma respuesta.

Se preguntó si habría alguna manera de darle la medicación a escondidas. No le gustaba la idea de tener que usar métodos encubiertos con el señor J. L. B. Matekoni, pero cuando alguien tenía la razón turbada, cualquier medio era válido para conseguir que mejorara. Si un desalmado raptara a una persona y pidiera por ella un rescate, pensaba mma Ramotswe, seguro que nadie dudaría en recurrir a lo que hiciera falta para liberarla. En su opinión, eso estaba totalmente acorde con la antigua moralidad de Botsuana, e incluso con cualquier otra.

Se preguntó si podría esconderle las pastillas en la comida. Habría sido posible en caso de ser ella la que se ocupara de todas sus comidas, pero no era así. El señor J. L. B. Matekoni ya no iba a cenar a Zebra Drive por las noches, y levantaría sospechas que de repente ella apareciera en su casa para cuidar de él. Igualmente, intuía que en su estado tampoco debía de estar comiendo mucho; ya lo advertía el libro. Daba la impresión de que había adelgazado bastante, lo que imposibilitaba que pudiera suministrarle la medicación de esta manera, por mucho que pensara que sería lo más adecuado.

Suspiró. No era propio de ella sentarse y quedarse mirando a la pared. De pronto se le ocurrió que tal vez ella también estuviera entrando en una depresión, pero enseguida desechó tal idea. La posibilidad de ponerse enferma quedaba descartada. Todo dependía de ella: el taller, la agencia, los niños, el señor J. L. B. Matekoni, mma Makutsi, por no mencionar a la familia que ésta tenía en Bobonong. Simplemente no podía permitirse el lujo de estar enferma; de modo que se levantó de la silla, se alisó el vestido y fue hasta el teléfono, que estaba en la otra punta de la habitación. Cogió la pequeña libreta en la que tenía anotados todos los números de teléfono y buscó el de Potokwani, Silvia. Directora Orfanato.

Cuando mma Ramotswe llegó, mma Potokwani estaba entrevistando a una posible madre adoptiva. Sentada en la sala de espera, mma Ramotswe vio en el techo una pequeña salamanquesa acercándose cautelosamente a una mosca. Tanto la salamanquesa como la mosca estaban boca abajo; la salamanquesa se agarraba con sus diminutas patas carnosas y la mosca con las suyas. De repente la salamanquesa hizo un rápido movimiento hacia delante, pero no lo suficiente, ya que la mosca la esquivó victoriosa y voló hasta el alféizar de la ventana.

Mma Ramotswe volvió la vista hacia las revistas que estaban esparcidas sobre la mesa. Había un prospecto gubernamental con una foto de políticos de renombre. Se fijó en sus caras: a muchos de ellos los conocía, y de algunos sabía bastante más de lo que se publicaba en los folletos oficiales. También estaba su cliente, sonriendo a la cámara con seguridad mientras, estaba segura de ello, le consumía la angustia por su hermano pequeño y se imaginaba tramas contra su vida.

—¿Mma Ramotswe? —Mma Potokwani había acompañado a la puerta a la posible futura madre adoptiva y ahora estaba de pie mirando a mma Ramotswe—. Lamento haberla hecho esperar, mma, pero creo que he encontrado un hogar para un niño muy conflictivo. Tenía que asegurarme de que era el tipo de madre adecuada.

Entraron en el despacho de la directora del centro, donde un plato con un montón de migas atestiguaba el último trozo del pastel de frutas y nueces.

—¿Ha venido para hablar del niño? —le preguntó mma Potokwani—. ¿Ya se le ha ocurrido algo?

Mma Ramotswe cabeceó.

—Lo siento, pero no he tenido tiempo para pensar en él. He estado haciendo otras cosas.

Mma Potokwani sonrió.

—Es usted una mujer muy ocupada.

—He venido a pedirle un favor —anunció mma Ramotswe.

—¿En serio? —dijo mma Potokwani contenta—. Normalmente soy yo la que pido favores; me alegro de que esta vez sea al revés.

—El señor J. L. B. Matekoni está enfermo —explicó mma Ramotswe—. Creo que tiene una enfermedad llamada depresión.

—¡Vaya! —la interrumpió mma Potokwani—. La conozco bien, recuerde que yo fui enfermera. Estuve un año entero trabajando en el psiquiátrico de Lobatsi. He visto lo que puede llegar a hacer esa enfermedad, pero al menos hoy en día puede tratarse y se puede mejorar.

—Sí, ya lo he leído —afirmó mma Ramotswe—. Pero para eso hay que medicarse, y el señor J. L. B. Matekoni se niega a que le vea un médico. Dice que no está enfermo.

—¡Menuda tontería! —exclamó mma Potokwani—. Tendría que decirle que fuera al médico inmediatamente.

—Ya se lo he comentado —dijo mma Ramotswe—, y me ha dicho que no le pasa nada. Necesito que alguien le acompañe al médico, alguien que...

—¿Alguien como yo? —se adelantó mma Potokwani.

—Sí —contestó mma Ramotswe—. Siempre ha hecho todo lo que usted le ha pedido; no se atreverá a decirle que no.

—Pero tendrá que tomarse la medicación —objetó mma Potokwani— y yo no estaré ahí para controlarle.

—Bueno —musitó mma Ramotswe—, si lo trajera aquí, podría vigilarle. Podría asegurarse de que se toma la medicación para que pueda reponerse.

—¿Se refiere a que le traiga aquí, al orfanato?

—Sí —respondió mma Ramotswe—, sólo hasta que esté mejor.

Mma Potokwani golpeteó la mesa con los dedos.

—¿Y si se niega a venir?

—A usted no le llevará la contraria, mma —aseguró mma Ramotswe—. No se atreverá.

—Vaya, así que doy miedo, ¿eh? —concluyó mma Potokwani.

—Un poco, sí —contestó mma Ramotswe con suavidad—. Pero sólo a los hombres, las directoras les inspiran respeto.

Mma Potokwani pensó unos instantes antes de hablar:

—El señor J. L. B. Matekoni se ha portado muy bien con el orfanato. Ha hecho muchas cosas por nosotros. Haré lo que me pide, mma. ¿Cuándo quiere que vaya a verlo?

—Hoy mismo —fue la respuesta de mma Ramotswe—. Llévele a visitar al doctor Moffat y luego tráigale aquí directamente.

—Muy bien —accedió mma Potokwani, que ya empezaba a simpatizar con su misión—. Iré y averiguaré de qué va toda esta historia. ¡Qué es eso de no querer ir al médico! ¡Menuda estupidez! Yo lo arreglaré, mma; confíe en mí.

Mma Potokwani acompañó a mma Ramotswe a la furgoneta.

—No se olvidará de lo del niño, ¿verdad, mma? —le preguntó—. ¿Se acordará de pensar en algo?

—Descuide, mma —la tranquilizó mma Ramotswe—. Acaba de quitarme un gran peso de encima, ahora me toca a mí quitarle uno a usted.

El doctor Moffat visitó al señor J. L. B. Matekoni en el estudio que tenía en el fondo del porche de su casa; mientras tanto, mma Potokwani se tomó un té con su esposa en la cocina. La esposa del doctor era bibliotecaria y sabía un montón de cosas; por eso mma Potokwani ocasionalmente le consultaba cosas. Anochecía, y los insectos que se habían colado en el despacho del doctor a través de las mosquiteras daban vueltas alrededor de la bombilla de la lámpara de su mesa como borrachos, para a continuación abalanzarse sobre las mosquiteras, de las que, aturdidos por el calor, se apartaban con las alas heridas. Encima de la mesa había un estetoscopio y un esfigmomanómetro, con la bomba de látex que colgaba de un extremo; y en la pared, un antiguo grabado de mediados del siglo diecinueve de la Misión Kuruman.

—Hacía tiempo que no nos veíamos, rra —dijo el doctor Moffat—. Mi coche se está portando bastante bien.

El señor J. L. B. Matekoni esbozó una sonrisa, pero requería demasiado esfuerzo.

—No he... —sus palabras se desvanecieron. El doctor Moffat esperó, pero su paciente no dijo nada más.

—¿No se encuentra usted bien?

El señor J. L. B. Matekoni cabeceó.

—Estoy muy cansado. No puedo dormir.

—Eso sí que es duro. La falta de sueño hace que nos encontremos mal. —El doctor hizo una pausa—. ¿Hay algo en particular que le preocupe? ¿Algo que le inquiete?

El señor J. L. B. Matekoni reflexionó. Su boca se movía, como si estuviese tratando de articular palabras imposibles, y luego dijo:

—Estoy preocupado por cosas terribles que hice en el pasado; si se descubren, caeré en desgracia y hasta las piedras se levantarán contra mí. Será el fin.

—¿De qué se trata? Sabe que puede hablar conmigo y que guardaré el secreto.

—De cosas horribles que hice en su día. Son cosas espantosas. No puedo contárselo a nadie, ni siquiera a usted.

—¿Está seguro?

—Sí.

El doctor Moffat observó al señor J. L. B. Matekoni. Se fijó en el cuello de su camisa, mal abrochado; en sus zapatos, que tenían los cordones rotos; y en sus ojos, llorosos por la angustia, y supo lo que le pasaba.

—Le daré algo que le ayudará a encontrarse mejor —comentó—. Mma Potokwani me ha dicho que cuidará de usted hasta que se mejore. —El señor J. L. B. Matekoni asintió en silencio—. Pero tiene que darme su palabra de que se tomará el medicamento. ¿Me lo promete?

Sin levantar la vista del suelo el señor J. L. B. Matekoni contestó en voz baja:

—Mi palabra no vale nada.

—Es la enfermedad la que está hablando ahora —apuntó el doctor con afecto—. Su palabra vale mucho.

Mma Potokwani le acompañó al coche y le abrió la puerta del asiento contiguo al del conductor. Miró al doctor Moffat y a su esposa, que estaban en la puerta, y se despidió con la mano. Ellos hicieron lo propio y entraron en casa. Mma Potokwani se dirigió de vuelta hacia el orfanato, pasando de largo por Tlokweng Road Speedy Motors; y al hacerlo, su propietario ni siquiera echó una mirada al taller, solitario y desierto en la oscuridad.

12

Cosas de familia

Aunque el viaje duraría poco más de una hora, mma Ramotswe salió con el frescor de la mañana. Rose había preparado el desayuno, y lo tomó con los niños en el porche de su casa de Zebra Drive. Era una hora tranquila; antes de las siete, que era cuando la gente empezaba a irse al trabajo, había poco tráfico en su calle. Tan sólo se veía a algunas personas andando —a un hombre alto con pantalones raídos que comía una mazorca de maíz chamuscada, a una mujer que llevaba atado a la espalda con un chal a su bebé, al que se le caía la cabeza a causa del sueño— y a un perro amarillo, escuálido y desnutrido, que se había escabullido de casa de su vecino, bastante concentrado en algún misterioso asunto canino. A mma Ramotswe no le disgustaban los perros, pero detestaba el olor de esos bichos amarillos que vivían en la casa de al lado. Le molestaba que aullaran por las noches —ladraban a las sombras, a la luna y a las ráfagas de viento—, y estaba convencida de que ahuyentaban los pájaros, que sí le gustaban, de su jardín. Al parecer, todas las casas menos la suya tenían perros, que ocasionalmente se saltaban sus limitadas e impuestas lealtades y, superando sus animosidades mutuas, se iban en grupo calle abajo, persiguiendo a los coches y asustando a los ciclistas.

Mma Ramotswe se sirvió té de rooibos, y le sirvió también a Motholeli; Puso se negó a acostumbrarse a tomar té y optó por un vaso de leche caliente, a la que mma Ramotswe le había puesto dos generosas cucharadas de azúcar. Era muy goloso, probablemente a consecuencia de los dulces que le había dado su hermana durante el tiempo que había cuidado de él en aquel jardín de Francistown. Intentaría darle cosas más sanas, pero el cambio requeriría paciencia. Rose les había hecho gachas con miel, que había puesto en boles, y también había papaya en un plato. Era un desayuno sano para un niño, pensó mma Ramotswe. «¿Cómo se habrían alimentado esos niños de haberse quedado con su familia?», se preguntó. Esa gente se alimentaba con pocas cosas: raíces extraídas de la tierra, gusanos y huevos de aves; claro que eran expertos cazadores, y comían carne de avestruz y de antílope que los habitantes de las ciudades raras veces podían permitirse.

Aún se acordaba de aquel día en que se dirigía hacia el norte y se detuvo para tomarse un té en un claro junto a la carretera, en el que un viejo letrero indicaba que en ese punto se cruzaba el Trópico de Capricornio. Creía que estaba sola cuando de repente salió un mosaruo, o un bosquimano, como les gusta que se los llame, de detrás de un árbol. Llevaba un pequeño taparrabos de piel y una bolsa de una especie de cuero, y se había acercado a ella emitiendo uno de esos silbidos tan extraños que forman parte de su lengua. En un principio mma Ramotswe se había asustado porque, aunque ella le doblaba en estatura, esa gente llevaba siempre flechas y venenos, y eran, por naturaleza, muy rápidos.

Mma Ramotswe se había puesto de pie, dubitativa, dispuesta a soltar el termo de té para irse a refugiar en la pequeña furgoneta blanca, pero el hombre simplemente señaló su boca en actitud de súplica. Mma Ramotswe, que había entendido lo que quería decir, le había dado su taza, pero el bosquimano indicó que quería comer, y no beber. Entonces le dio lo único sólido que llevaba, un par de sándwiches de huevo, que él comió con voracidad. Al acabárselos, se chupó los dedos y dio media vuelta. Mma Ramotswe le vio desaparecer en la sabana, con la que se fundió con la naturalidad de una criatura salvaje. Se preguntó qué le habría parecido el sándwich y si le habría gustado más que lo que le ofrecía el Kalahari: tubérculos y roedores.

Los niños habían pertenecido a ese mundo, pero ya no había vuelta atrás. Era una vida a la que simplemente no se podía volver, porque todo aquello que antes uno había hecho de forma tan natural, se complicaba; todas aquellas habilidades que uno había creído innatas desaparecían. Ahora su sitio estaba con Rose y con mma Ramotswe en su casa de Zebra Drive.

—Voy a tener que ausentarme unos días —les explicó durante el desayuno—. Rose cuidará de vosotros; estaréis bien.

—De acuerdo, mma —repuso Motholeli—. Yo la ayudaré.

Mma Ramotswe le sonrió aprobatoriamente. Había criado ella sola a su hermano pequeño; formaba parte de su carácter ocuparse de aquellos que eran más pequeños que ella. Algún día sería una madre excepcional, pensó mma Ramotswe, pero luego recordó. ¿Podría ser madre alguien que iba en silla de ruedas? Debía de ser imposible dar a luz, si uno no podía andar, dijo mma para sí, y de ser posible, tampoco estaba segura de que hubiera muchos hombres dispuestos a casarse con una paralítica. No era justo, pero era la pura verdad. A esa niña siempre le resultaría todo más difícil. Naturalmente, habría alguno al que no le importara y que quisiera casarse con ella por su maravillosa personalidad y valentía, pero ese tipo de hombres no abundaba; de hecho, mma Ramotswe no conocía a muchos. ¿O sí? Estaba el señor J. L. B. Matekoni, por supuesto, que —si bien ahora se comportaba de una manera un tanto extraña— era un gran hombre, y el obispo, y también Sir Seretse Khama, estadista y Jefe Supremo. El doctor Merriweather, que dirigía el Hospital Escocés de Molepolole, también era un buen hombre. Pensándolo bien, había bastantes, aunque no fueran tan conocidos. El señor Potolani, por ejemplo, que ayudaba a los más pobres y donaba gran parte del dinero que ganaba con sus tiendas; y aquel que, gratuitamente, le arregló el tejado y reparó la bicicleta de Rose al ver que se había estropeado. Lo cierto es que había muchos hombres que valían la pena; tal vez, a su debido tiempo, habría alguno para Motholeli, ¿por qué no?

Eso, siempre que ella quisiera casarse; porque era perfectamente posible ser feliz, aunque fuera sólo un poco, sin estar casada. Ella misma era feliz estando soltera, pero reflexionó en ello y se le ocurrió que era preferible estar casada. Esperaba ansiosa que llegara el día en que pudiera ocuparse de dar de comer correctamente al señor J. L. B. Matekoni; el día en que, cuando se oyera algún ruido por la noche —como sucedía a menudo últimamente—, fuera el señor J. L. B. Matekoni, y no ella, quien se levantara a indagar. Mma Ramotswe pensó en el antiguo proverbio de los kgatlos: *En esta vida necesitamos a alguien, alguien que sea nuestro pequeño dios en la Tierra.* Daba igual que fuese un cónyuge, un hijo, un padre o cualquier otra persona, pero tenía que haber alguien que le diera sentido a nuestras vidas. Ella siempre había tenido a su papaíto, el fallecido Obed Ramotswe, minero, ganadero y caballero. Había sido un placer cuidar de él mientras vivió, así como ahora lo era hacer cosas para recordarle, aunque el recuerdo de un padre nada más llegaba hasta cierto punto.

Claro que siempre estaban aquellos que sostenían que para todo esto no se necesitaba estar casado. Y, en cierto modo, tenían razón. No hacía falta casarse para compartir la vida con alguien, pero entonces no había ninguna garantía de permanencia. No es que el matrimonio en sí ofreciera esa garantía, pero al menos los dos cónyuges aseguraban que querían estar juntos de por vida. Puede que se equivocaran, pero lo habían intentado. Mma Ramotswe no hacía caso a aquellos que rechazaban el matrimonio. Antiguamente, el matrimonio había sido una trampa para las mujeres porque, al casarse, ellas contraían todas las obligaciones y los hombres todos los derechos. Así habían sido los matrimonios tribales, aunque había que decir que, con los años, esas mujeres adquirían respeto y subían de estatus, sobre todo si tenían hijos. Mma Ramotswe no soportaba ese concepto de matrimonio y creía que en los matrimonios modernos, aquellos que significaban la unión de dos iguales, el papel de la mujer era totalmente diferente. En su opinión, las mujeres habían cometido un error dejándose engañar y desechando el matrimonio. Algunas habían pensado que así se librarían de la tiranía masculina, y en parte era cierto, pero los hombres habían aprovechado esa estupenda oportunidad para comportarse egoístamente. Para un hombre debía de ser fantástico poder estar con una mujer hasta que se cansara de ella, y luego cambiarla por otra más joven, sin que nadie le reprobara por su comportamiento, porque, en realidad, no estaba cometiendo adulterio ni haciendo nada malo.

—Pero ¿quiénes son las que sufren aquí? —le preguntó mma Ramotswe en una ocasión a mma Makutsi, mientras estaban en el despacho esperando a un cliente—. ¿No son las mujeres las abandonadas, no son sus maridos los que se van con otras? ¿No es eso lo que está pasando? En cuanto cumplen los cuarenta y cinco deciden que ya han tenido bastante y se largan con alguien más joven.

—Tiene usted razón, mma —reconoció mma Makutsi—. Son las mujeres de este país las que están sufriendo, no los hombres. Ellos están encantados. Lo vi con mis propios ojos en la Escuela de Secretariado.

Mma Ramotswe esperó a que le diera más detalles.

—Había muchas chicas atractivas en la Escuela —prosiguió mma Makutsi—. Eran precisamente las que no sacaban muy buenas notas, aprobaban por los pelos. Solían salir cuatro o cinco noches a la semana, y muchas conocían a hombres mayores que ellas, que tenían dinero y coches bonitos. No les importaba que estuvieran casados; quedaban con ellos y se iban por ahí a bailar. ¿Y qué pasaba luego, mma?

Mma Ramotswe sacudió la cabeza.

—Me lo puedo imaginar.

Mma Makutsi se sacó las gafas y las limpió con su blusa.

—Pues que les decían que dejaran a sus mujeres. A los hombres les parecía buena idea y se iban con estas chicas; por lo que acababa habiendo un montón de mujeres infelices que ya no podrían encontrar a otro hombre porque éstos se iban con chicas jóvenes, y no les gustaban las mujeres mayores. Eso es lo que vi, mma; incluso podría darle nombres, una lista entera.

—No hace falta que me los dé —replicó mma Ramotswe—. Yo también tengo una lista larguísima de mujeres infelices.

—¿Y a cuántos hombres infelices conoce? —prosiguió mma Makutsi—. ¿A cuántos conoce que estén en sus casas pensando qué van a hacer ahora que sus mujeres se han largado con hombres más jóvenes? Dígame, ¿a cuántos?

—A ninguno —contestó mma Ramotswe—. Absolutamente a ninguno.

—Pues ahí lo tiene —repuso mma Makutsi—. Las mujeres hemos sido engañadas. Los hombres nos han engañado, mma. Hemos caído en su trampa como tontas.

Después de que los niños se fueran al colegio, mma Ramotswe cargó su pequeña maleta marrón en la furgoneta e inició el trayecto hacia las afueras de la ciudad, pasando de largo por las industrias de cerveza y las nuevas fábricas, un suburbio de construcción reciente y barata, con filas de pequeños edificios de adobe, que estaba enfrente de la vía del ferrocarril que llevaba a Francistown y Bulawayo, y encima de la carretera que la conduciría a su conflictivo destino. Habían caído las primeras lluvias y la reseca estepa marrón ya verdeaba, proporcionándole una fragante hierba al ganado y a los errantes rebaños de cabras. La furgoneta no tenía radio —al menos no una que funcionara—, pero mma Ramotswe sabía canciones que podía cantar, y las cantó con la ventana bajada y el vigorizante aire de la mañana en sus pulmones, mientras los pájaros, de reluciente plumaje, sobrevolaban los márgenes de la carretera; y sobre su cabeza, completamente vacío, estaba ese cielo azul pálido, casi blanco, que se prolongaba durante kilómetros y kilómetros.

Su misión la inquietaba, sobre todo porque consideraba que lo que estaba a punto de hacer iba en contra de los principios elementales de la hospitalidad. No estaba bien que un invitado se metiera en falso en una casa; y eso era precisamente lo que ella iba a hacer. En realidad, era la invitada de los padres, pero es que ni siquiera ellos sabían cuál era el propósito de su visita. Creían que iban a recibir a alguien a quien su hijo debía un favor, cuando la verdad era que iba como espía. Una espía con buenas intenciones, claro, aunque eso no cambiaba su objetivo: entrar en la familia para descubrir un secreto.

Pero, ahora, en la pequeña furgoneta blanca, decidió dejar a un lado los dilemas morales. Era una de esas situaciones en las que había argumentos razonables para cualquier punto de vista. Se había decidido a hacerlo porque, bien mirado, era mejor mentir que dejar que se perdiera una vida. Había que dejar de lado las dudas y seguir con la misión hasta el final. De nada servía atormentarse por una decisión ya tomada y preguntarse si era o no era correcta. Además, los escrúpulos de conciencia no harían sino impedir que representara su papel con convicción, y eso se notaría. Era como si un actor se cuestionara su personaje en medio de su intervención.

Adelantó a un hombre que iba en una carreta tirada por mulos, y le saludó con la mano. Él, a su vez, soltó las riendas y le devolvió el saludo, al igual que hicieron los pasajeros del vehículo, dos mujeres entradas en años, otra más joven y un niño. Estarían yéndose al campo, pensó mma Ramotswe; tal vez fuera un poco tarde, con las primeras lluvias ya deberían haber arado la tierra, pero seguro que sembrarían a tiempo y obtendrían maíz, melones y judías en la recolección. En la carreta había varios sacos, que probablemente contendrían las semillas y la comida de la familia para todo el tiempo que estuvieran en el campo. Las mujeres harían gachas y, si había suerte, los hombres cazarían algo para la cazuela, como una pintada, para hacer un delicioso guiso para toda la familia.

Mma Ramotswe vio el carro y a la familia encogiéndose cada vez más en el retrovisor, como si estuvieran volviendo al pasado, haciéndose más y más pequeños. Llegaría el día en que la gente ya no podría hacer esto; ya no se iría a sus tierras para cultivarlas, y al igual que la gente de las ciudades compraría la comida en las tiendas. Pero ¡qué pérdida supondría eso para el país! ¡Cuánta fraternidad, solidaridad y sentimientos por la tierra se sacrificarían entonces! De pequeña ella también había vivido en el campo, adonde fue con sus tías, y allí se había quedado mientras los chicos eran enviados a los corrales, donde pasaban meses casi completamente aislados y supervisados únicamente por unos cuantos mayores. Había disfrutado mucho de esa época y no se había aburrido. Se habían dedicado a barrer los patios y a tejer alfombras; a desyerbar los melonares y a contarse largas historias sobre hechos que nunca sucedieron, pero que quién sabe si podrían suceder en otra Botsuana, en otra parte.

Y, luego, con las lluvias, se habían refugiado en las cabañas y habían escuchado los truenos, que se desplazaban por el firmamento, y olido los rayos que, cuando estaban demasiado cerca, tenían ese olor acre a aire quemado. Pasadas las lluvias, habían salido de sus refugios a esperar a las hormigas voladoras, que emergían de sus húmedos agujeros terrestres y que podían ser atrapadas antes de emprender el vuelo o justo al iniciarlo, y se las comían allí mismo; y sabían a mantequilla.

Pasó de largo Pilane y lanzó una mirada a la carretera de Mochudi, que estaba a su derecha. De este sitio tenía buenos y también malos recuerdos. Buenos, porque ésta era la ciudad donde había pasado su infancia; y malos, porque justo allí, cerca del desvío, era donde estaba el camino que cruzaba la vía férrea y donde había muerto su madre, aquella trágica noche, atropellada por el tren. Y aunque por aquel entonces Precious Ramotswe era todavía bebé, la desaparición de esa madre que no podía recordar había ensombrecido su existencia.

Ya se estaba acercando a su destino. Le habían dado la dirección exacta, y ahí estaba la entrada, junto al cercado del ganado, exactamente como le habían dicho. Salió de la carretera y se aproximó a la entrada; y luego recorrió el camino de tierra que, en dirección oeste, conducía a un pequeño grupo de casas que debían de estar más o menos a un kilómetro y medio de distancia, ocultas entre la vegetación y dominadas por un molino de viento metálico. Era una finca grande, pensó mma Ramotswe, y le dio una breve punzada. A Obed Ramotswe le habría encantado tener una casa como ésta, ya que, a pesar de que le había ido bien con el ganado, nunca había sido suficientemente rico para vivir en una finca de estas características; porque esta alquería debía de tener por lo menos doscientas hectáreas, tal vez más.

La propiedad estaba formada por una gran casa de construcción irregular, coronada por un tejado de cinc pintado de rojo y rodeada de umbrosos porches. Ésta era la casa original, que con los años había sido circundada por más edificios, dos de los cuales eran también viviendas. A ambos lados de la casa principal había frondosas buganvillas de flores moradas, y detrás y en un lateral había, además, papayos. Se había intentado proporcionar la máxima sombra posible, pues no muy lejos, en dirección oeste, un poco más allá de donde alcanzaba la vista, el paisaje cambiaba y empezaba el Kalahari. Pero aquí todavía había agua y suficiente vegetación para el ganado. De hecho, a poca distancia de la alquería, en dirección este, empezaba el Limpopo, que si bien ahora no tenía un gran caudal, crecía mucho en la estación de las lluvias.

Había un camión aparcado frente a uno de los edificios anejos, y junto a él estacionó mma Ramotswe su pequeña furgoneta blanca. A la sombra de uno de los árboles más grandes había un lugar tentador donde dejar el vehículo, pero habría sido muy maleducado por su parte aparcar ahí; probablemente sería el sitio donde aparcaba alguno de los mayores de la familia.

Dejó la maleta en el asiento contiguo al del conductor y anduvo hasta la verja que daba acceso al jardín delantero de la casa principal. Anunció su llegada en voz alta; entrar sin ser invitado habría sido muy descortés. Como no contestó nadie, volvió a anunciarse. Esta vez se abrió la puerta y apareció una mujer de mediana edad, que se estaba secando las manos con el delantal. Saludó educadamente a mma Ramotswe y la invitó a entrar.

—La está esperando —le dijo—. Soy la criada de más edad que hay aquí, y cuido de la señora. Está esperándola.

Hacía fresco debajo del soportal, y más todavía en el oscuro interior de la casa. Los ojos de mma Ramotswe tardaron unos segundos en acostumbrarse al cambio de luz. Al principio le pareció que había más sombras que formas; pero luego vio la silla de respaldo recto en la que la anciana estaba sentada, y la mesa que había a su lado con la jarra de agua y la tetera.

Intercambiaron saludos y mma Ramotswe le hizo una reverencia a la mujer. La anfitriona agradeció que su invitada se comportara a la antigua usanza, y no como esas otras mujeres modernas y descaradas de Gaborone, que se creían que lo sabían todo y no prestaban atención a sus mayores. ¡Vaya! Y encima se pensaban que eran inteligentes, y esto, lo otro y lo de más allá; e iban por ahí haciendo los trabajos de los hombres y comportándose como unas frescas con ellos. Pero no aquí, en el campo, donde los modales de antaño todavía se tenían en cuenta; y menos aún en esta casa.

—Ha sido usted muy amable acogiéndome en su casa, mma. Su hijo es un buen hombre.

La anciana sonrió.

—No, mma, lo hago encantada. Lo que siento es que tenga usted problemas, pero lo que en la ciudad le parece a uno muy grave en el campo pierde importancia. Porque, ¿qué es lo que importa aquí? La lluvia, el pasto para el ganado, y no todo aquello por lo que la gente de las ciudades se preocupa. Eso aquí no significa nada, ya lo verá.

—Este sitio es muy bonito —comentó mma Ramotswe—. Y muy tranquilo.

La mujer parecía pensativa.

—Sí, es tranquilo. Siempre ha sido tranquilo, no me gustaría que cambiara. —Sirvió un vaso de agua y se lo ofreció a mma Ramotswe—. Bébaselo, mma. Debe de estar sedienta después del viaje.

Mma Ramotswe cogió el vaso de agua, le dio las gracias, y se lo acercó a los labios ante la atenta mirada de la anfitriona.

—¿De dónde es usted, mma? —le preguntó—. ¿Ha vivido siempre en Gaborone?

A mma Ramotswe no le sorprendió la pregunta. Era una manera educada de averiguar su procedencia. En Botsuana había ocho tribus importantes —además de otras más pequeñas— y, aunque a la mayoría de los jóvenes les pareciera que estas cosas no eran muy relevantes, para la generación anterior sí lo eran, y mucho. Era lógico que esta mujer, cuyo estatus en la sociedad tribal era elevado, estuviese interesada en temas así.

—Soy de Mochudi —respondió mma Ramotswe—. Nací en Mochudi.

Dio la impresión de que la anciana se sentía aliviada.

—¡Ah! Entonces es usted una kgatla, como nosotros. ¿De qué zona es?

Mma Ramotswe le explicó sus orígenes y la anciana asintió. Conocía a ese jefe, sí, y al primo de éste, casado con la hermana de la mujer de su hermano. Y, sí, creía que había conocido a Obed Ramotswe hacía mucho tiempo; y luego, haciendo memoria, dijo:

—Su madre falleció, ¿verdad? ¿No es a la que mató un tren siendo usted bebé?

A mma Ramotswe la sorprendió un poco que supiera esto, pero tampoco era cosa del otro jueves. Había personas que se proponían recordar todo lo que acontecía en su comunidad, y ésta, obviamente, era una de ellas. Creía que hoy día se las llamaba historiadores orales, cuando en realidad eran mujeres mayores a las que les gustaba acordarse de aquello que más les interesaba: las bodas, las muertes y los niños. Eran los hombres los que recordaban el ganado.

Siguieron hablando; la anfitriona fue sonsacándole a mma Ramotswe, poco a poco y con sutileza, la historia de toda su vida. Al hablarle de Note Mokoti la mujer asintió compasivamente, pero dijo que había muchos hombres así y que las mujeres tenían que ir con cuidado.

—Mi familia escogió a mi marido —le contó la anciana—. Iniciaron las negociaciones; aunque no habrían llegado hasta el final, si yo les hubiera dicho que no me gustaba. Pero fueron ellos quienes lo escogieron, sabían qué tipo de hombre me convenía. Y acertaron. Tengo un marido excepcional al que le he dado tres hijos. Uno se pasa el día contando reses; es su pasatiempo y, en cierto modo, es muy inteligente. Después está el que ya conoce, mma, que tiene un cargo muy importante en el Gobierno; y, por último, el que vive aquí, que es un excelente ganadero y que ha recibido premios por sus ejemplares. Los tres son maravillosos y estoy orgullosa de ellos.

—¿Ha tenido una vida feliz, mma? —preguntó mma Ramotswe—. ¿La cambiaría, si alguien viniera y le ofreciera una pastilla milagrosa? ¿Lo haría?

—Jamás —contestó la anciana con rotundidad—. Nunca, nunca. Dios me ha dado todo lo que una persona puede desear. Un buen marido, tres hijos fuertes y unas buenas piernas con las que, en el día de hoy, aún puedo andar entre ocho y diez kilómetros sin ninguna molestia. Y mire esto, ¿lo ve? Mi dentadura está intacta. Tengo setenta y seis años y no se me ha caído ningún diente, y a mi marido tampoco. Cuando cumplamos cien años, o más, todavía tendremos dientes.

—¡Qué suerte! —exclamó mma Ramotswe—. Veo que todo le va bien.

—Casi todo —repuso la anciana. Mma Ramotswe esperó callada. ¿Debería decir algo más? Tal vez le contara algo que le hubiera visto hacer a su nuera. Tal vez la había visto preparando el veneno o se había enterado de algo, pero todo lo que dijo fue—: Cuando llueve y hay humedad me duelen los brazos. Aquí, justo aquí. Me paso dos o tres meses con mucho dolor y casi no puedo ni coser. He tomado de todo, pero no me hace efecto. Por eso creo que, si esto es lo único negativo que Dios piensa enviarme, soy una mujer muy afortunada.

La sirvienta que había invitado a entrar a mma Ramotswe fue la misma que la acompañó a su habitación, que estaba en la parte posterior de la casa. De decoración sencilla, la cama tenía una colcha de centón, y en la pared había una foto enmarcada de la colina de Mochudi. Había también una mesa, con un tapete blanco de ganchillo, y una pequeña cajonera donde guardar la ropa.

—La habitación no tiene cortinas —explicó la sirvienta—. Pero por delante de esta ventana nunca pasa nadie, mma; aquí estará tranquila.

Dejó a mma Ramotswe deshaciendo la maleta. Comerían a las doce, le explicó la sirvienta, hasta entonces podía hacer lo que quisiera.

—Aquí no hay nada que hacer —apuntó la mujer, y añadió nostálgica—: Esto no es Gaborone, ¿sabe?

La criada pretendía irse, pero mma Ramotswe prolongó la conversación. Sabía por experiencia que la mejor manera de que alguien hablara era conseguir que hablara de sí mismo. Esta mujer sabría cosas; desde luego no era tonta, y hablaba un setsuana correcto y bien articulado.

—¿Quién más vive en la casa, mma? —quiso saber mma Ramotswe—. ¿Hay más miembros de la familia?

—Sí —contestó la criada—, hay más. Uno de los hijos con su mujer. Verá, los señores tienen tres hijos. Uno, que es bastante bobo y se pasa el día entero contando reses; está siempre en el corral y nunca viene por aquí. Es como un niño pequeño, por eso está siempre con los vaqueros; porque, aunque sea mayor, le tratan como a uno de ellos. El otro vive en Gaborone y es muy importante allí. Y luego está el que vive aquí. Esos son los hijos.

—¿Y qué opina de ellos, mma?

Era una pregunta directa y quizás hecha prematuramente, lo que resultaba arriesgado; tanta curiosidad podría levantar sospechas. Pero no fue así, sino que por el contrario, la mujer se sentó en la cama.

—Déjeme explicarle, mma —dijo—. El que está en el corral es un chico muy triste, pero tendría que oír a su madre hablar de él. ¡Dice que es inteligente! ¡Inteligente! ¡Él! Es como un niño, mma. Él no tiene la culpa, pero es la verdad. El corral es el sitio más indicado para él, pero no deberían decir que es inteligente; porque es mentira, mma. Es como decir que en la estación seca llueve, cuando no llueve.

—No —repuso mma Ramotswe—, no llueve.

La sirvienta apenas sí se dio cuenta de la intervención de mma Ramotswe, y prosiguió:

—Luego está ése que vive en Gaborone y que cada vez que viene nos complica la vida a todos. No para de hacernos preguntas, y se mete en todo. Hasta le grita a su padre, ¿se lo imagina? Claro que luego su madre le grita a él y le baja los humos. Puede que en Gaborone sea importante, pero aquí no es más que el hijo y no debería gritar a sus padres.

Mma Ramotswe estaba encantada. Esta mujer era exactamente el tipo de criada a la que le gustaba entrevistar.

—Tiene usted razón, mma —concedió mma Ramotswe—. Hoy en día la gente se grita demasiado. Todo son gritos y más gritos. Se comenta en todas partes. Pero ¿por qué cree que les grita? ¿Para aclararse la voz?

La sirvienta se echó a reír.

—¡Pero si precisamente tiene muy buena voz! No, grita porque dice que aquí hay algo que no anda bien; que las cosas no se están haciendo como Dios manda, y dice que... —prosiguió en voz baja—, dice que la mujer de su hermano es mala. Se lo comentó a su padre con estas mismas palabras. Yo lo oí. La gente se piensa que el servicio doméstico no se entera de nada, pero oímos como todo el mundo. Yo le oí decírselo. Dijo cosas malas de ella.

Mma Ramotswe arqueó las cejas.

—¿Cosas malas?

—Dijo que se acuesta con otros hombres, que sus hijos no tendrán la sangre de esta familia; que serán de otros hombres y que en esta casa entrará otra sangre. Eso es lo que dijo.

Mma Ramotswe permaneció callada. Miró por la ventana, detrás de la cual estaba la buganvilla, cuya sombra era morada. Y más allá se veían las cimas de los espinos, que se extendían por las bajas colinas del horizonte; una tierra solitaria, el comienzo de la vacuidad.

—¿Y cree usted que es verdad, mma? ¿Que hay algo de cierto en lo que dijo de esa mujer?

La sirvienta arrugó la frente.

—¿Que si es verdad? ¿Que si es verdad, mma? Ese hombre no tiene ni idea de lo que es la verdad. ¡Por supuesto que no es verdad! Esa mujer es buena, es prima de una prima de mi madre. Toda su familia es cristiana, lee la Biblia y cree en Dios. No van por ahí acostándose con otros hombres; ésa es la pura verdad.

13

El presidente del jurado del concurso de belleza

Aquel día mma Makutsi, directora en funciones de Tlokweng Road Speedy Motors y detective adjunta de la Primera Agencia Femenina de Detectives, fue a trabajar con cierto nerviosismo. Aunque había recibido de buen grado la responsabilidad y estaba encantada con sus dos ascensos, de un modo u otro siempre se había sentido respaldada por mma Ramotswe, a quien había podido recurrir cuando se había sentido perdida. Pero ahora, con mma Ramotswe fuera, se dio cuenta de que tenía dos negocios y dos empleados a su cargo. A pesar de que mma Ramotswe no pensara pasar más de cuatro o cinco días en la alquería, era tiempo suficiente para que todo se fuera al traste, y como, además, tampoco podía llamarla por teléfono, tendría que ocuparse ella de todo. En lo que concernía al taller, sabía que al señor J. L. B. Matekoni le estaban atendiendo en el orfanato, y que no debía intentar ponerse en contacto con él hasta que se encontrara mejor. El médico había prescrito reposo y desconexión absoluta de las preocupaciones del trabajo, y mma Potokwani, poco dada a contradecir a los médicos, defendería a su paciente con uñas y dientes.

En su fuero interno, mma Makutsi deseaba que no fueran clientes a la agencia hasta el regreso de mma Ramotswe. Y no porque no quisiera trabajar en algún caso —sí que quería—, sino porque no quería toda la responsabilidad sobre ella. Pero, como era de esperar, apareció un cliente, y lo que era aún peor, su problema requería atención inmediata.

Mma Makutsi estaba sentada frente a la mesa del señor J. L. B. Matekoni, preparando unas facturas del taller, cuando uno de los aprendices asomó la cabeza por la puerta.

—Mma, un hombre muy elegante quiere verla —anunció, limpiándose las grasientas manos en el mono—. Le he abierto la puerta de la agencia y le he dicho que espere.

Mma Makutsi enarcó las cejas.

—¿Muy elegante, dices?

—Sí, ya sabe, lleva un buen traje y unos zapatos brillantes —respondió el aprendiz—. Es guapo, como yo pero distinto. Un hombre muy elegante. Véalo usted misma, mma. Es la clase de hombre que intenta conquistar a mujeres como usted; vaya con cuidado.

—No te limpies las manos en el mono —le espetó mma Makutsi mientras se levantaba de la silla—, que luego tenemos que llevarlo a la tintorería; y la pagamos nosotros, no tú. Para eso os damos trapos viejos de algodón, para que os limpiéis. ¿No os lo ha dicho nunca el señor J. L. B. Matekoni?

—No sé —contestó el joven—, quizá sí. ¡Nos ha dicho tantas cosas! No podemos acordarnos de todo.

Mma Makutsi le rozó al pasar junto a él. «Estos chicos son imposibles», pensó. Pero al menos estaban trabajando mejor de lo esperado. Tal vez el señor J. L. B. Matekoni había sido demasiado blando con ellos; era un hombre tan bueno... no sabía criticar a la gente. Pero ella sí. Se había graduado en la Escuela de Secretariado de Botsuana y sus profesores siempre les habían dicho: «No tengáis miedo de reprobar —siempre que sea de forma constructiva, claro— vuestra propia forma de proceder y, si es necesario, la de los demás». Pues bien, mma Makutsi lo había hecho y la cosa había dado sus frutos. El taller iba bien y daba la impresión de que cada día había más trabajo.

Se detuvo frente a la puerta de la agencia, justo a la vuelta de la esquina del edificio, y echó un vistazo al coche que estaba aparcado debajo del árbol que había a sus espaldas. Ciertamente, el hombre

—un hombre elegante, tal como el aprendiz lo había descrito— conducía un coche que llamaba la atención. Se entretuvo unos instantes observando las suaves líneas del vehículo y sus dos antenas, una en la parte delantera y otra en la trasera del coche. ¿Para qué querría alguien tantas antenas? Era imposible escuchar dos emisoras o hacer más de una llamada telefónica a la vez mientras se conducía. Pero, fuera cual fuera la explicación, la verdad era que aumentaban el atractivo y la relevancia del coche.

Abrió la puerta de la agencia. En su interior, sentado en la silla que había frente a la mesa de mma Ramotswe, con las piernas cruzadas con relajada elegancia, estaba Moemedi "Dos Balas" Pulani, fácilmente reconocible para cualquier lector del *Botswana Daily News*, en cuyas columnas había aparecido con tanta frecuencia su atractivo rostro, un rostro que emanaba seguridad en sí mismo. Lo primero que pensó mma Makutsi fue que el aprendiz tendría que haberlo reconocido, y su desliz le provocó un enfado momentáneo, pero luego se recordó a sí misma que el chico era un aprendiz de mecánico y no de detective, y además, nunca había visto a los aprendices leyendo un periódico. Leían una revista de motos surafricana que los fascinaba, y otra llamada *Fancy Girls*, que trataban de ocultarle a mma Makutsi cada vez que ésta pasaba por su lado para controlarlos durante su hora de comer. Así que concluyó que no había ninguna razón por la que tuvieran que conocer al señor Pulani, ni saber de su imperio de la moda ni de su colaboración con la beneficencia local.

El señor Pulani se levantó cuando ella entró y la saludó educadamente. Se dieron la mano y después mma Makutsi bordeó la mesa para sentarse en la silla de mma Ramotswe.

—Gracias por recibirme sin haber concertado una cita, mma Ramotswe —comentó el señor Pulani mientras sacaba una pitillera de plata del bolsillo superior de su chaqueta.

—No soy mma Ramotswe, rra —le corrigió mientras rechazaba el cigarrillo que le había ofrecido—. Soy la directora en funciones de la agencia. —Hizo una pausa. No era del todo cierto que fuera la directora en funciones de la agencia; de hecho, era bastante falso. Pero la verdad era que la estaba dirigiendo en ausencia de mma Ramotswe, lo que tal vez justificaba su comentario.

—Ya, pues quisiera hablar con ella, por favor —replicó el señor Pulani mientras encendía un cigarrillo con un gran mechero dorado.

Mma Makutsi titubeó, y una nube de humo cruzó la mesa hasta ella.

—Lo lamento, pero eso no será posible hasta dentro de unos días —se excusó—. Mma Ramotswe está fuera de la ciudad investigando un caso muy importante. —De nuevo hizo una pausa. Había exagerado, pero con mucha naturalidad. Era más impactante decir que mma Ramotswe estaba de viaje fuera de la ciudad —así la agencia tenía un aire internacional—, pero no debería haberlo dicho.

—Está bien, mma —accedió el señor Pulani—. En ese caso, hablaré con usted.

—Adelante, rra. Le escucho.

El señor Pulani se reclinó en su asiento.

—Se trata de algo muy urgente. ¿Sería posible que empezara hoy mismo la investigación?

Mma Makutsi respiró hondo antes de que otra nube de humo la envolviera.

—Estamos a su disposición —contestó mma Makutsi—. Aunque la urgencia aumentará el precio. Espero que lo comprenda, rra.

El señor Pulani hizo caso omiso de la advertencia.

—El dinero no me preocupa —puntualizó—. Lo que me preocupa es el futuro del concurso de Miss Belleza e Integridad.

Hizo una pausa para ver si sus palabras causaban efecto, y mma Makutsi le dio gusto.

—¡Guau! Ése sí que es un tema serio.

El señor Pulani asintió.

—Desde luego que sí, mma. Y tenemos tres días para resolver esta historia. Solamente tres días.

—Cuénteme qué ocurre, rra. Soy toda oídos.

—Los antecedentes del asunto son interesantes —empezó diciendo el señor Pulani—. Yo diría que la historia se remonta al Edén, a cuando Dios creó a Adán y Eva. Como sabe, la belleza de Eva tentó a

Adán, y a partir de ese día los hombres nunca han dejado de fijarse en la belleza de las mujeres.

»A los hombres de este país les gustan las mujeres guapas. Siempre las están mirando, incluso cuando ya son mayores, y comentando si esta mujer es guapa o ésta otra es más guapa que aquélla, y demás.

—Con el ganado hacen lo mismo —intervino mma Makutsi—. Se fijan en si una vaca es buena o no tan buena. Hablan igual de las vacas que de las mujeres.

El señor Pulani la miró de soslayo.

—Tal vez, es una forma de verlo, quién sabe. —Hizo una breve pausa antes de continuar—: La cuestión es que es este interés de los hombres por las mujeres guapas el que hace que los concursos de belleza sean tan populares en Botsuana. Nos gusta saber cuáles son las mujeres más guapas del país y darles títulos y premios. Los hombres se entretienen mucho con esto. Yo entre ellos, mma. Llevo quince años trabajando sin parar en el mundo de las reinas de la belleza. Quizá sea la persona más importante dentro de este mundo.

—He visto su foto en los periódicos, rra —apuntó mma Makutsi—. Le he visto dando premios.

El señor Pulani asintió.

—Creé el concurso de Miss Glamour hace cinco años y ahora es el que tiene más éxito. La chica que lo gana participa también en Miss Botsuana y a veces en Miss Universo. Hemos enviado chicas a Nueva York y a Palm Springs, que han quedado en muy buena posición. Hay quien dice que es lo mejor que exportamos después de los diamantes.

—Y el ganado —añadió mma Makutsi.

—Sí, y el ganado —convino el señor Pulani—. Pero siempre hay gente que intenta perjudicarnos. Gente que escribe cartas a los periódicos diciendo que es malo animar a las chicas a disfrazarse así y desfilar delante de un montón de hombres, que contribuye a crear valores falsos. ¡Bah! ¡Valores falsos! Lo que le pasa a esa gente es que está celosa. Envidian la belleza de estas chicas, porque saben que jamás podrían participar en un concurso como ése. Por eso se quejan siempre, y se alegran cuando algo nos sale mal. Se olvidan, entre otras cosas, de que estos concursos generan mucho dinero que se destina a beneficencia. El año pasado se donaron cinco mil pulas al hospital, veinte mil para la sequía —veinte mil, mma— y cerca de ocho mil a una fundación que da becas a enfermeras. Hablamos de mucho dinero, mma. ¿Y cuánto han donado los que nos critican? Se lo diré yo mismo: nada.

»Pero tenemos que ir con cuidado. Gran parte del dinero proviene de los patrocinadores, y si nos lo retiran, entonces sí tendremos un problema. No podemos equivocarnos, porque de otro modo los patrocinadores dirán que ya no quieren tener nada que ver con nosotros, que la mala publicidad los perjudica, que quieren buena publicidad, que para eso pagan.

—¿Y ha salido algo mal?

El señor Pulani golpeteó la mesa con los dedos.

—Sí, han pasado cosas terribles. El año pasado se descubrió que dos de las chicas no eran lo que parecían ser. A una la detuvieron por ejercer la prostitución; la encontraron en un importante hotel. Un desastre. Y a la otra la pillaron utilizando una tarjeta de crédito sin autorización y se demostró que se había enriquecido con métodos engañosos. Salieron en los periódicos. Se produjo un gran revuelo. Dijeron cosas como: «¿Son éstas las chicas que queremos como embajadoras de Botsuana? ¿Por qué no vamos directamente a la cárcel, cogemos a unas cuantas prisioneras y las convertimos en reinas de la belleza?». Se pensaron que tenía gracia, pero no la tenía, en absoluto. Al enterarse, algunos de los patrocinadores nos dijeron que si volvía a pasar, dejarían de patrocinarnos. Recibí cuatro cartas de advertencia.

»Entonces decidí que este año el tema del concurso sería Belleza e Integridad. Le dije a mi equipo que teníamos que escoger reinas de la belleza que fueran ciudadanas ejemplares para que no volvieran a ponernos en compromisos semejantes. Es la única manera de tener contentos a nuestros patrocinadores.

»Para la primera eliminatoria las chicas tenían que rellenar un formulario que yo mismo elaboré y que contenía todo tipo de preguntas para conocer sus opiniones. Por ejemplo: ¿Te gustaría trabajar en organizaciones benéficas? ¿Qué valores crees que debe tener un buen ciudadano? O ¿qué es mejor, dar o recibir?

»Todas las chicas contestaron a las preguntas, y sólo a aquellas que demostraron entender lo que era ser un buen ciudadano se las dejó pasar a la final. No fueron más que cinco. Hablé con la prensa para informar de que habíamos encontrado a cinco excelentes ciudadanas que tenían grandes valores. El *Botswana Daily News* publicó un artículo titulado: *Cinco chicas de bien aspiran al título de belleza.*

»Yo me puse muy contento y los críticos, que tuvieron que morderse la lengua, se calmaron; ya no podían atacar a esas jóvenes deseosas de ser buenas ciudadanas. Los patrocinadores me llamaron diciéndome que se alegraban de que se los identificara con los valores de una buena ciudadanía y que, si todo salía bien, el año que viene volverían a financiarnos. Hasta las propias instituciones de beneficencia me dijeron que ése era el buen camino.

El señor Pulani hizo una pausa. Miró a mma Makutsi, y momentáneamente perdió sus modales urbanos y dio la impresión de que estaba abatido.

—Entonces, ayer llegaron las malas noticias. Detuvieron a una de nuestras candidatas por robar en una tienda. Me enteré por uno de mis empleados, y entonces me puse en contacto con un amigo mío, que es inspector de Policía, quien me confirmó que era cierto. La encontraron en Game intentando robar una enorme olla, que se había escondido debajo de la camisa; pero se le pasó por alto que una de las asas le salía por el lateral y el vigilante la pilló. Afortunadamente, no ha saltado a la prensa, y con suerte no saltará, al menos hasta que el caso llegue al Tribunal de Magistrados.

Mma Makutsi sintió lástima por el señor Pulani. Pese a su arrogancia, era evidente que hacía muchas cosas por los demás. El mundo de la moda era indiscutiblemente pomposo, y seguro que él era como todos los demás, pero al menos hacía cuanto podía por la gente necesitada. Y los concursos de belleza eran una realidad de existencia innegable. Si el señor Pulani se había propuesto aumentar el grado de aceptación de su concurso, merecía ser apoyado.

—Lamento mucho lo que me dice, rra —dijo mma Makutsi—. Debe de estar preocupado.

—Sí, mma —confesó él con tristeza—, sobre todo porque faltan tres días para la final. De las cinco chicas ya sólo quedan cuatro, pero

¿y si me dejan en mal lugar? Ésta a la que han detenido debió de mentir cuando rellenó el formulario y puso que era una buena ciudadana. ¿Cómo sé que las demás no mintieron al decir que les gustaría colaborar en causas benéficas? ¿Cómo puedo saberlo? ¿Y si sale ganadora una mentirosa y luego resulta que es una ladrona o algo parecido? El escándalo nos perseguiría.

Mma Makutsi asintió.

—Sí, la situación no es fácil. Necesita conocerlas de cerca, tal vez haya alguna que valga la pena...

—Si la hay —repuso el señor Pulani enérgicamente—, ganará. Haré que gane.

—¿Y qué me dice de los otros jueces? —le preguntó mma Makutsi.

—Soy el miembro más importante del jurado —puntualizó—. Soy el presidente del jurado, mi voto es el que más cuenta.

—Entiendo.

—Sí, es así como funciona. —El señor Pulani apagó el cigarrillo con la suela del zapato—. Esto es lo que quiero que haga, mma. Le daré los nombres y las direcciones de las cuatro chicas para que averigüe si alguna de ellas vale realmente la pena como persona; si no, fíjese en cuál es la más honesta de todas, en la segunda mejor.

Mma Makutsi se rió.

—Pero ¿cómo voy a llegar a conocerlas tan bien en tan poco tiempo? —preguntó mma Makutsi—. Tendría que hablar con mucha, muchísima gente para saber cosas de ellas. Y eso llevaría semanas.

El señor Pulani se encogió de hombros.

—Pues no dispone de semanas, mma. Tiene tres días. Ha dicho que me ayudaría.

—Sí, pero...

El señor Pulani extrajo un trozo de papel de un bolsillo.

—Ésta es la lista con los cuatro nombres y direcciones. Todas viven en Gaborone. —Dejó el papel sobre la mesa y a continuación sacó una funda de cuero de otro bolsillo. Al abrirla, mma Makutsi vio que contenía un talonario, en el que el señor Pulani empezó a escribir—. Y esto es un pagaré de dos mil pulas a cobrar por la Primera

Agencia Femenina de Detectives. Cójalo. Si consigue la información para pasado mañana, podrá cobrarlo en el banco al día siguiente.

Mma Makutsi se quedó mirando el cheque fijamente. Se imaginó cómo se sentiría al decirle a mma Ramotswe cuando volviera: «Hemos cobrado dos mil pulas por adelantado, mma». Sabía que mma Ramotswe no era codiciosa, pero también que le preocupaba la viabilidad financiera de la agencia. Semejante ingreso mejoraría las cosas y sería una manera, pensó mma Makutsi, de agradecerle a mma Ramotswe la confianza que había depositado en ella.

Metió el talón en un cajón y notó que, al hacerlo, el señor Pulani se relajaba.

—Confío en usted, mma —dijo—. Siempre he oído cosas buenas de la Primera Agencia Femenina de Detectives; espero verlas con mis propios ojos.

—Yo también lo espero, rra —replicó mma Makutsi; pero ya tenía sus dudas acerca de cómo averiguar cuáles de las cuatro chicas seleccionadas eran honestas. Le parecía una tarea imposible.

Acompañó al señor Pulani a la puerta, y por primera vez se dio cuenta de que llevaba zapatos blancos. También se fijó en sus grandes gemelos de oro y en su corbata de brillo sedoso. No le gustaría casarse con un hombre así, pensó. Tendría que pasarse el día entero en la peluquería para estar a la altura de lo que él, con toda seguridad, esperaría de una mujer. Claro que a algunas mujeres eso les encantaría.

14

Dios decidió que Botsuana fuera un lugar árido

La sirvienta había dicho que la comida se serviría a la una, para lo que aún faltaban bastantes horas; por lo que mma Ramotswe decidió que lo mejor sería pasarlas familiarizándose con el entorno. Le gustaban las granjas —como a la mayoría de los batsuanos— porque le recordaban su infancia y los auténticos valores de su gente. En el campo se compartía la tierra con el ganado, los pájaros y el sinfín de criaturas que podían observarse, si uno se fijaba. Tal vez no se pensara así en las ciudades, donde la comida se adquiría en las tiendas y salía agua corriente de los grifos, pero para mucha gente la vida no era así.

Después de su reveladora conversación con la criada, salió de su habitación en dirección a la puerta principal. Hacía mucho calor y había pocos lugares con sombra. Hacia el este, sobre las pequeñas y distantes colinas, azules bajo la cálida neblina, se estaban formando densas nubes de agua. Puede que más tarde lloviera en alguna parte, en algún punto de la frontera. Daba la impresión de que las lluvias serían buenas ese año, algo por lo que todo el mundo rezaba. Las buenas lluvias eran garantía de estómagos llenos; la sequía implicaba un ganado escuálido y unas cosechas marchitas. Ya habían vivido una tremenda sequía unos cuantos años antes, y el Gobierno, haciendo de tripas corazón, había ordenado a la población que sacrificara sus reses. Era lo peor que le podía pasar a uno, y la gente sufrió mucho.

Mma Ramotswe miró a su alrededor. No muy lejos de ahí había una dehesa en la que el ganado se aglomeraba en torno al abrevadero. Había una tubería que salía del rechinante molino de viento y su tanque de almacenamiento de hormigón, discurría sobre el suelo y llegaba hasta el abrevadero y el ganado sediento. Decidió que se acercaría a echar un vistazo a las reses; al fin y al cabo, era la hija de Obed Ramotswe, de quien algunos habían llegado a decir que tenía mucho ojo para el ganado, de los mejores de Botsuana. Mma Ramotswe sabía si una res era buena nada más verla y, a veces, cuando pasaba con la furgoneta por delante de algún ejemplar especialmente interesante, pensaba en lo que habría dicho su papaíto. Quizás habría dicho: «Buenos cuartos delanteros» o «Es una buena vaca»; «Fíjate en cómo anda» o «Ese toro es pura fachada, no creo que pudiera procrear muchos terneros».

La finca debía de tener muchas reses, unas cinco o seis mil, lo que superaba los sueños de la mayoría de la gente. Tener entre diez y veinte era suficiente para hacerle sentir a uno que vivía con cierta holgura; desde luego, ella se conformaría con eso. Obed Ramotswe había formado su ganado comprando y vendiendo con criterio, y al final de sus días había reunido un total de dos mil reses. Ésa había sido la herencia de mma Ramotswe, con la que había podido adquirir su casa de Zebra Drive y abrir la agencia. Y aún le quedaban reses, algunas de las cuales había decidido no vender; las tenía en un remoto corral que un primo suyo visitaba por ella, y las cuidaban unos vaqueros.

Creía que rondaban las sesenta; todas eran excelentes descendientes de los voluminosos toros brahman que con tanto esmero su padre había seleccionado y criado. Algún día iría a verlas en su carro tirado por bueyes; sería un momento muy emotivo, porque la unían a su papaíto, al que tanto echaría de menos estando allí, y probablemente lloraría; y ellas se preguntarían por qué esa mujer seguía llorando a su padre muerto hacía ya tanto tiempo.

«Todavía tenemos lágrimas que verter —pensó mma Ramotswe—. Todavía tenemos que llorar por aquellas mañanas en las que salíamos temprano y observábamos a las vacas que deambulaban por los senderos, y a los pájaros que volaban en lo alto aprovechando las corrientes cálidas.»

—¿En qué está pensando, mma?

Mma Ramotswe alzó la vista. Había un hombre junto a ella, con un palo en una mano y un maltrecho sombrero en la cabeza.

Mma Ramotswe lo saludó.

—En mi padre ya fallecido —respondió—. Le hubiera gustado ver este ganado. ¿Lo cuida usted, rra? Son unos ejemplares maravillosos.

El hombre sonrió agradecido.

—Llevo cuidando de estas reses desde que nacieron. Son como mis hijos. Tengo doscientos hijos, mma, y todos son reses.

Mma Ramotswe se echó a reír.

—Entonces debe de tener mucho trabajo, rra.

Él asintió y extrajo de su bolsillo un pequeño envoltorio de papel. Le ofreció a mma Ramotswe un trozo de carne seca, que ella aceptó.

—¿Se ha instalado usted en la casa? —le preguntó—. Suelen tener invitados. A veces el hijo que vive en Gaborone trae a sus amigos del Gobierno, yo los he visto.

—Ese hombre sí que está ocupado —apuntó mma Ramotswe—. ¿Le conoce?

—Sí —contestó el hombre mientras masticaba un trozo de carne—. Siempre viene por aquí y nos dice lo que tenemos que hacer. Se interesa por el ganado. Que si esta res está enferma, que si esta otra cojea, que dónde está la de más allá. Siempre está igual. Y luego, cuando se va, todo vuelve a la normalidad.

Mma Ramotswe arqueó las cejas comprensiva.

—Pues no debe de resultarle fácil a su hermano, ¿no?

El hombre, con los ojos desmesuradamente abiertos, respondió:

—No, el pobre se queda ahí, de pie, mientras el otro le grita como a un perro. Es un buen ganadero, pero su hermano mayor sigue pensándose que es el dueño de la finca. Y eso que todos sabemos que su padre fue a hablar con el jefe, y acordaron que el más joven se quedaría con la mayoría del ganado, y el mayor con el dinero. Eso es lo que decidieron.

—¿Y el mayor no está de acuerdo?

—Exacto —contestó el hombre—. Y supongo que entiendo cómo se siente. Pero las cosas le han ido muy bien en Gaborone y tiene otro tipo de vida. El ganadero es su hermano; él es quien entiende de ganado.

—¿Y qué me dice del pequeño? —le preguntó mma Ramotswe—. ¿Del que se pasa la vida ahí? —dijo señalando el Kalahari.

El hombre se rió.

—No es más que un niño. Es muy triste. Dicen que en la cabeza sólo tiene aire; es por algo que hizo su madre cuando estaba embarazada. Ya sabe cómo ocurren esas cosas.

—¿En serio? ¿Y qué hizo? —preguntó mma Ramotswe. Sabía que la gente del campo creía que un niño minusválido era consecuencia de algo malo que habían hecho sus padres. Si, por ejemplo, una mujer tenía una aventura con otro hombre, podía tener un hijo estúpido; y si un hombre repudiaba a su mujer embarazada y se iba con otra, también cabía la posibilidad de que sucediera una desgracia.

El hombre bajó la voz. «¿Para qué? ¿Quién podía oírle salvo el ganado y los pájaros?», pensó mma Ramotswe.

—Es a ella a la que hay que vigilar —declaró el hombre—. A ella, a su madre. Es una mala persona.

—¿Su madre?

Él asintió.

—Obsérvela —sugirió—, mírela a los ojos.

La sirvienta apareció en su habitación poco antes de las dos para decirle que la comida estaba lista.

—Hoy comerán en ese porche de ahí —anunció señalando el otro lado de la casa.

Mma Ramotswe le dio las gracias y salió de la habitación. El porche estaba en la parte más fresca de la casa, resguardado por un toldo y un montón de enredaderas que trepaban por una tosca espaldera de madera. Habían dispuesto dos mesas juntas a lo largo, y las habían cubierto con un mantel blanco almidonado. En uno de sus extremos, dibujando un círculo, había diversas fuentes con comida: calabaza humeante, un bol con gachas de harina de maíz, un plato de judías y otras legumbres, y una gran sopera con un espeso estofado de carne. Además había una hogaza de pan y un plato con mantequilla. Era un menú suculento, de esos que solamente una familia adinerada puede permitirse comer a diario.

Mma Ramotswe reconoció a la anciana, que estaba sentada a la mesa, aunque algo apartada de ella, con una pequeña servilleta de guinga —una tela antigua de algodón— extendida en el regazo. Había también otros miembros de la familia: un niño de unos doce años, una mujer joven que llevaba una elegante falda verde y una blusa blanca —la mujer del hijo, dedujo mma Ramotswe—, y a su lado un hombre con pantalones caqui y una camisa de manga corta del mismo color, que se levantó al ver a mma Ramotswe y dio la vuelta a la mesa para saludarla.

—De modo que es usted nuestra invitada —dijo sonriendo—. Bienvenida a casa, mma.

La anciana asintió.

—Es mi hijo —apuntó—. Estaba con el ganado cuando usted ha llegado.

El hombre le presentó a su mujer, que le sonrió amistosamente.

—Hoy hace mucho calor, mma —comentó—, pero creo que lloverá. Su llegada debe de habernos traído la lluvia.

Era un cumplido y mma Ramotswe lo agradeció.

—Eso espero —dijo mma Ramotswe—. La tierra está sedienta.

—La tierra siempre está sedienta —intervino el marido—. Dios decidió que Botsuana fuera una tierra árida para animales de zona seca. Eso es lo que decidió.

Mma Ramotswe se sentó entre la mujer y la anciana. Mientras la primera servía la comida, su marido llenó los vasos de agua.

—He visto que miraba el ganado —comentó la anciana—. ¿Le gusta el ganado, mma?

—¿A qué motsuano no le gusta? —repuso mma Ramotswe.

—Puede que a alguno —contestó la anciana—. Puede que algunos no lo entiendan, no sé.

Al contestar se volvió y se puso a contemplar, a través de las enormes ventanas sin cristales del porche, la extensión de sabana que llegaba hasta el horizonte.

—Me han dicho que es usted de Mochudi —dijo la mujer del hijo dándole el plato a mma Ramotswe—. Yo también soy de allí.

—De eso hace ya algún tiempo —replicó mma Ramotswe—. Ahora vivo en Gaborone, como mucha gente.

—Como mi hermano —señaló el hijo—. Si la ha enviado aquí, debe de conocerle bastante bien.

Hubo un momento de silencio. La anciana miró fijamente a su hijo, que apartó la vista.

—Pues no, no le conozco bien —repuso mma Ramotswe—. Pero, como yo le ayudé, me ha hecho el favor de invitarme a venir a esta casa.

—Y es usted muy bienvenida —se apresuró a matizar la anciana—. Es usted nuestra invitada.

El último comentario iba dirigido a su hijo, pero éste estaba ocupado comiendo e hizo ver que no había oído lo que su madre había dicho. Sin embargo, en ese intercambio de palabras su mujer había mirado fugazmente a mma Ramotswe.

Comieron en silencio. La anciana se puso el plato sobre las piernas y se entretuvo rescatando las gachas de harina de maíz enterradas en la salsa del estofado. Se introdujo la mezcla en la boca y la masticó lentamente, con los ojos clavados en la vista panorámica de la sabana y el cielo. En cuanto a la mujer del hijo, sólo se había servido judías y calabaza, que picoteaba con indiferencia. Mma Ramotswe echó un vistazo a su plato y se dio cuenta de que el hijo y ella eran los únicos que tomaban estofado. El niño, al que habían presentado como un primo de la mujer, estaba comiendo una gruesa rebanada de pan untada en sirope y la salsa de la carne.

Mma Ramotswe miró su comida y hundió el tenedor en los trozos de carne que había entre una gran ración de calabaza y un pequeño montón de las gachas de harina de maíz. El estofado era espeso y glutinoso, y al llevarse el tenedor a la boca dejó en el plato un fino rastro de una sustancia parecida a la glicerina. Pero la carne tenía un sabor normal o casi normal. Era bastante insulsa, pensó mma Ramotswe, y tenía un sabor metálico, como el de las pastillas de hierro que el médico le había dado en una ocasión, o quizás ácido, como el de una pepita de limón partida por la mitad.

Miró a la mujer del hijo, que le sonrió.

—No lo he cocinado yo —advirtió ésta—. Si está bueno, no es gracias a mí. Samuel es el cocinero, es un gran cocinero; estamos orgullosos de él. Tiene experiencia, es chef.

—Cocinar es cosa de mujeres —apuntó el marido—; por eso yo nunca cocino. Los hombres deberían atender otros asuntos.

Mientras hablaba miró a mma Ramotswe, y ella percibió el desafío.

Se tomó unos minutos antes de contestarle:

—Eso es lo que dice mucha gente, rra, o al menos muchos hombres; pero no creo que lo digan muchas mujeres.

El hombre soltó el tenedor.

—Pregúnteselo a mi mujer —le sugirió en voz baja—. Pregúntele si también lo dice. ¡Pregúnteselo!

La mujer no dudó en intervenir:

—Lo que dice mi marido es cierto —dijo.

La anciana se volvió hacia mma Ramotswe.

—¿Lo ve? Apoya a su marido. Así es como funcionan las cosas en el campo. Puede que en la ciudad sea diferente, pero aquí, no.

Después de comer, mma Ramotswe se fue a su habitación y se tumbó en la cama. A pesar de que seguían formándose nubes en el este, el calor continuaba apretando. Llovería con toda seguridad, aunque fuera por la noche. Pronto empezaría a hacer viento, y con él llegaría el maravilloso e inconfundible olor de la lluvia, ese olor a una mezcla de polvo y agua que permanecía unos segundos en la nariz, y que, cuando se iba, se echaba de menos, a veces durante meses, hasta la siguiente ocasión en que le sorprendía a uno, haciéndole detenerse y decirle a quienquiera que estuviese al lado: «Así es como huele la lluvia, huélala».

Tumbada en la cama clavó la vista en las tablas blancas del techo. Estaban limpias, señal del buen cuidado de la casa. Muchas casas tenían los techos salpicados de moscas o con huellas de termitas en sus extremos. A veces podían verse grandes arañas, que daban vueltas boca abajo por lo que debía de haberles parecido una tundra; pero en ese techo no había nada y la pintura estaba inmaculada.

Mma Ramotswe estaba confusa. Lo único que había sacado en claro ese día era que el servicio doméstico tenía opiniones formadas y que el político no le caía bien a nadie. Por lo que se veía era demasiado arrogante, pero ¿qué tenía eso de malo? Era normal que el hermano mayor opinara acerca de cómo había que tratar el ganado y que se lo dijera a su hermano menor. Como también lo era que la anciana creyese que su hijo pequeño y discapacitado era inteligente, y que en las ciudades se estaba perdiendo el interés por el ganado. Mma Ramotswe pensó que sabía muy pocas cosas de ella. El hombre que cuidaba del ganado había dicho que era mala, pero no había aducido nada que respaldara su juicio. Le había dicho que la mirara a los ojos, cosa que había hecho sin ningún resultado. Lo único que había notado era que, durante toda la comida, la anciana había mirado hacia fuera, a lo lejos. ¿Por qué sería?

Mma Ramotswe se incorporó. Sí que había sacado algo en limpio, pensó. Que alguien mirara hacia el horizonte significaba que no quería estar donde estaba. Y la razón más común para que uno no quisiera estar en un sitio era que no le gustara la compañía. Sí, así era. Si esa mujer apartaba siempre la vista era porque alguna de las personas que la rodeaban no le gustaba. «Y no debo de ser yo —dijo mma Ramotswe para sí—; porque esta mañana no me ha dado ningún motivo para pensar eso, y porque no ha tenido tiempo para que le caiga mal.» El niño difícilmente podría provocar semejante reacción; de hecho, la anciana había sido bastante cariñosa con él, dándole un par de palmaditas en la cabeza en el transcurso de la comida. De modo que sólo quedaban su hijo y su nuera.

Ninguna madre tiene aversión por su hijo. Mma Ramotswe sabía que había madres que se avergonzaban de sus hijos y otras que se enfadaban con ellos, pero en el fondo ninguna sentía antipatía hacia ellos. Hiciera lo que hiciera un hijo, su madre siempre lo perdonaba; por lo tanto, la anciana debía de detestar a su nuera con la intensidad suficiente para desear estar en otra parte cuando la tenía cerca.

Pasada la excitación inicial por la conclusión a la que había llegado, mma Ramotswe se recostó en la cama. Ahora tenía que determinar por qué la mujer sentía aversión hacia su nuera, y si su causa había sido que su otro hijo, el político, le había hablado de sus sospechas. Aunque quizá fuera más importante saber si la nuera era consciente de no caerle bien a su suegra. Si lo era, habría tenido un motivo para actuar; caso que fuera una envenenadora —claro que no tenía aspecto de serlo, y a este respecto había que tener en cuenta la contradictoria versión de la criada—, entonces seguramente habría intentado envenenar a la anciana y no a su propio marido.

A mma Ramotswe la sacudía la somnolencia. La noche anterior no había dormido bien, y el viaje, el calor y la pesada comida estaban obrando efecto. El estofado estaba exquisito; exquisito y glutinoso, con ese rastro pegajoso. Cerró los ojos, pero no estaba oscuro. Había un aura blanca, una delgada línea luminosa que parecía iluminar el interior de sus ojos. La cama se movió ligeramente, como si la meciera el viento que había empezado a soplar desde el horizonte, desde el otro lado de la frontera. De pronto le llegó ese olor a lluvia, y luego las precipitadas y cálidas gotas, que castigaron el suelo y lo hirieron, para rebotar después como diminutos gusanos grises.

Se quedó dormida, pero su respiración era superficial y su sueño agitado. Cuando despertó, con dolor en el estómago, eran casi las cinco. La lluvia fuerte había cesado, pero aún caían gotas, que golpeaban el tejado de cinc de la casa como insistentes tambores. Se incorporó para echarse de nuevo debido a las náuseas que sentía. Se puso de lado y arrastró los pies hasta el suelo. A continuación se levantó, tambaleante, y tropezó al dirigirse hacia la puerta y al cuarto de baño, que estaba al final del pasillo. Estaba mareada, pero casi al instante empezó a sentirse mejor. Al volver a su cuarto lo peor de las náuseas ya había pasado y pudo pensar en su estado. Había ido a casa de una envenenadora que la había envenenado incluso a ella. No tenía por qué sorprenderse; es más, era total y completamente previsible.

15

¿A qué te quieres dedicar?

Mma Makutsi sólo disponía de tres días. No era mucho tiempo, y se preguntaba si sería capaz de averiguar suficientes cosas de las cuatro finalistas para poder avisar al señor Pulani. Echó un vistazo a la lista pulcramente mecanografiada, pero ni los nombres ni las direcciones le sonaban. Sabía que había quienes aseguraban que podían juzgar a la gente en función de sus nombres; que, por ejemplo, las chicas llamadas Mary eran inevitablemente honestas y hogareñas, pero que había que desconfiar de alguien que se llamara Sipho, etcétera. Era una teoría absurda, mucho menos útil que aquella que sostenía que se podía detectar un asesino por la forma de su cabeza. Mma Ramotswe le había enseñado un artículo al respecto, del que ambas se habían reído. Pero la idea —aunque no fuera muy apropiado para una persona moderna como ella— la había intrigado y, con discreción, se había embarcado en su propia búsqueda. La siempre solícita librera de la Librería del Consejo Británico había tardado un minuto en encontrarle un libro y dárselo. *Teorías del crimen* era una obra de un nivel de erudición mayor que la biblia profesional de mma Ramotswe, *Los principios de la investigación privada*, de Clovis Andersen. Éste último era idóneo para saber cómo tratar a los clientes, pero flojeaba en los aspectos teóricos. Saltaba a la vista que Clovis Andersen no era un lector asiduo de la *Revista de Criminología*, mientras que el autor de *Teorías del crimen* estaba bastante familiarizado con los debates que había en torno a las causas de un crimen. «La sociedad es un posible culpable —leyó mma Makutsi—. Un mal ambiente familiar y un futuro incierto convierten a los jóvenes en criminales. Hay que recordar —advertía el libro— que *quienes han recibido algún mal lo devuelven a su vez.*»

A mma Makutsi esta frase la dejó atónita. Era totalmente cierta, dijo para sí, pero nunca lo había pensado en esos términos. No había duda de que aquellos que obraban mal habían sufrido el mal en sí mismos. Además, coincidía con su propia experiencia. Recordó que hacía ya muchos años, cuando iba a tercero, en el colegio de Bobonong, había un niño que se metía con otros más pequeños y disfrutaba viéndolos sufrir. Nunca logró entender por qué lo hacía —a lo mejor era simplemente malo—, pero entonces, una noche, pasó por delante de su casa y vio que su padre borracho le pegaba. El niño intentaba escabullirse y lloraba, pero no pudo evitar la paliza. Al día siguiente, mientras iba al colegio, lo vio que estaba pegándole a un niño más pequeño que él y empujándolo contra un arbusto lleno de espinas. En aquel momento no relacionó causa y efecto, pero ahora que volvía a pensar en ello, reflexionó sobre la sabiduría que encerraban las revelaciones de *Teorías del crimen*.

Sola, sentada en el despacho de la Primera Agencia Femenina de Detectives, mma Makutsi se pasó varias horas leyendo hasta dar con lo que buscaba. La parte dedicada a las causas biológicas del crimen era más breve que el resto de apartados, y eso era debido, sobre todo, a que al autor no le gustaba hablar de ellas.

«El criminólogo italiano decimonónico, Cesare Lombroso —leyó mma Makutsi—, aunque liberal en su enfoque de la reforma penal, estaba convencido de que la criminalidad podía detectarse en función de la forma de la cabeza. Por este motivo gastó gran parte de su energía en diseñar la fisonomía de los criminales, en un fallido intento de identificar esos rasgos faciales y craneales que fueran indicativos de la criminalidad. Estas pintorescas ilustraciones (reproducidas más abajo) sirven de testimonio de su errado entusiasmo, que bien podría haber dirigido a una investigación más fructífera.»

Mma Makutsi echó un vistazo a las ilustraciones extraídas del libro de Lambroso. Había un hombre de aspecto demoniaco, con la frente estrecha y unos ojos furibundos con los que miraba al lector.

Justo debajo ponía la siguiente leyenda: *Asesino típico (prototipo Siciliano).* Otra ilustración mostraba a otro hombre de bigote impecable pero de ojos rasgados. La leyenda decía: *Ladrón clásico (prototipo Napolitano).* Había más prototipos de criminales que miraban directamente al lector, todos ellos de aspecto inequívocamente maligno. Mma Makutsi se estremeció. Se trataba de hombres en extremo desagradables, nadie confiaría en ellos. Entonces ¿por qué el libro presentaba las teorías de Lombroso como «fallidas»? Eso, a su modo de ver, no solamente era grosero, sino a todas luces erróneo. Lombroso tenía razón; los criminales eran detectables (hacía mucho tiempo que las mujeres podían saber cómo era un hombre sólo con mirarle; pero para eso no hacía falta ser italiano; aquí, en Botsuana, también sabían hacerlo). Mma Makutsi estaba desconcertada; si la teoría era tan cierta, ¿por qué el autor del libro la negaba? Reflexionó unos instantes antes de dar con la explicación: ¡estaba celoso! ¡Era por eso! Tenía celos de Lombroso porque la teoría se le había ocurrido antes que a él, y él también quería desarrollar sus propias ideas sobre el crimen. ¡Vaya! Pues en ese caso no hacía falta que se molestara en seguir leyendo el libro. Ya había aprendido un poco más de este tipo de criminología; ahora lo único que tenía que hacer era aplicarlo. Usaría las teorías lombrosianas para averiguar cuál de las cuatro chicas finalistas era de fiar y cuál no. Las ilustraciones de Lombroso habían confirmado que debía guiarse por su intuición. Estando un rato con cada una de las chicas y tal vez analizando discretamente la estructura de sus cráneos —sin que llamara la atención—, obtendría la respuesta. Con eso bastaría; poco más podía hacer con tan poco tiempo disponible, y veía muy factible que el asunto estuviese resuelto antes del regreso de mma Ramotswe.

Había cuatro nombres, ninguno de los cuales le sonaba: Motlamedi Matluli, Gladys Tlhapi, Makita Phenyonini y Patricia Quatleneni; y a continuación las edades de las participantes y sus direcciones. Motlamedi era la más joven, tenía diecinueve años, y la más accesible de todas, ya que estudiaba en la universidad. Patricia era la mayor con veinticuatro años, y posiblemente la más difícil de contactar, pues su dirección era imprecisa: Tlokweng (parcela 2.456). Mma Makutsi decidió que primero iría a ver a Motlamedi; sería tan sencillo como presentarse en la residencia de estudiantes del perfectamente trazado campus univesitario. Aunque puede que entrevistarla no fuese tan sencillo; mma Makutsi era consciente de que las chicas que iban a la universidad y que, casi con toda probabilidad, tenían un buen trabajo asegurado, solían mirar por encima del hombro a quienes no habían gozado de sus mismas ventajas, sobre todo si habían estudiado en la Escuela de Secretariado de Botsuana. Su promedio de noventa y siete por ciento en los exámenes finales, resultado de un gran esfuerzo, sería motivo de burla para alguien como Motlamedi. Pero hablaría con ella y soportaría estoicamente cualquier aire de superioridad. No tenía nada de qué avergonzarse; ¿acaso ahora, además de detective adjunta, no era la directora en funciones de un taller? ¿Qué titulación tenía esa chica, por guapa que fuera? Ni siquiera era Miss Belleza e Integridad, aunque compitiera por tal honor.

Iría a verla. Pero ¿qué le diría? No podía presentarse ante ella y decirle: «Perdona, he venido a ver la forma de tu cabeza». Eso, por muy cierto que fuera, provocaría una respuesta hostil. Entonces se le ocurrió. Simularía estar haciendo una encuesta cualquiera, y mientras las chicas contestaran, se fijaría en sus cabezas y en sus facciones para ver si había en ellas algún indicio de deshonestidad. Mejor aún, no era necesario que la encuesta fuera sobre algún tema de marketing insignificante, de ésas que la gente ya estaba acostumbrada a responder; podía tratar de la ética. Podía plantear ciertas cuestiones que, de manera muy sutil, desvelaran la forma de pensar de las chicas. Formularía cuidadosamente las preguntas para que ninguna sospechara que había gato encerrado en ellas, pero haría que resultasen esclarecedoras. Por ejemplo, ¿qué quieres hacer con tu vida? O ¿qué es mejor, ganar mucho dinero o ayudar al prójimo?

Poco a poco se le fueron ocurriendo más ideas, y mma Makutsi sonrió contenta cada vez que una posible pregunta le acudía al pensamiento. Diría que era una periodista, que la enviaba el *Botswana Daily News* para escribir un artículo sobre el concurso —Clovis Andersen aseguraba que las mentiras pequeñas estaban permitidas, siempre y cuando el fin justificara los medios—. Pues bien, en este caso el fin era muy importante, dado que la reputación de Botsuana podía estar en juego. La joven que ganara Miss Belleza e Integridad tenía la posibilidad de concursar para el título de Miss Botsuana, y ostentar ese título era poco más o menos que ser un embajador. En realidad, una reina de la belleza era una especie de embajadora de su país; la gente pensaría una u otra cosa del país en función de cómo se comportara su reina. Y si una mentira de nada era el precio que había que pagar para impedir que la chica equivocada ganara el concurso y avergonzara al país, pues mentiría. Seguro que Clovis Andersen habría estado de acuerdo con ella, por mucho que el autor de *Teorías del crimen,* que daba la impresión de adoptar una postura muy moralista sobre cualquier tema, hubiera tenido sus erróneas reservas al respecto.

Mma Makutsi se dispuso a mecanografiar el cuestionario. Las preguntas eran sencillas pero capciosas:

1. *¿Cuáles son los valores principales que África puede enseñar al mundo?*
Esta pregunta estaba diseñada para determinar si las chicas entendían lo que era la ética. La que lo entendiera contestaría algo así: *África puede enseñarle al mundo lo que es ser persona, porque trata a todo el mundo con humanidad.*

Superada esta pregunta, si la superaban, la siguiente sería más personal:

2. *¿A qué quieres dedicarte?*
Aquí era donde mma Makutsi descubriría si una chica era honesta o no. La típica respuesta de cualquier concursante del certamen de belleza sería: *Me gustaría trabajar en obras benéficas, seguramente con niños. Al morirme me gustaría dejar el mundo mejor de lo que lo encontré al nacer.*

Todo esto estaba muy bien, pero seguramente habrían extraído las respuestas de algún libro, escrito, por qué no, por alguien como Clovis Andersen. Algún libro que llevara por título: *Guía de las reinas de la belleza,* o *Cómo ganar en el mundo de los concursos de belleza.*

Una chica honesta, pensó mma Makutsi, debería contestar algo así: *Me gustaría trabajar en obras benéficas, seguramente con niños; aunque, si no fuese posible, estaría encantada de trabajar con ancianos; no me importaría. Claro que también me gustaría tener un buen trabajo con un buen sueldo.*

3. *¿Es preferible ser guapa a ser íntegra?*
De nuevo, era evidente que la respuesta que cabría esperar de una concursante de un certamen de belleza era que la integridad era más importante. Probablemente todas las chicas creyeran que eso era lo que tenían que decir, pero existía la remota posibilidad de que la honestidad llevara a alguna a contestar que ser guapa también tenía sus ventajas. Esto era algo que mma Makutsi había notado que sucedía en los puestos de trabajo para secretarias; por mucho que ella hubiera sacado un noventa y siete por ciento de promedio en el examen final, las guapas acaparaban todos los trabajos, quedando muy pocas vacantes para el resto. Esta injusticia siempre había levantado ampollas, pero en su caso concreto, al fin, el esfuerzo se había visto recompensado. ¿Cuántas chicas de su promoción, físicamente mejor dotadas que ella, tenían el cargo de directora en funciones? La respuesta, sin lugar a dudas, era que ninguna. Esas bellezas se casaban con hombres adinerados y vivían en la abundancia para siempre, pero difícilmente podrían afirmar que tenían una carrera, a menos que vestirse con ropa cara y acudir a fiestas pudiera considerarse una carrera en sí.

Mma Makutsi escribió el cuestionario a máquina. En el despacho no había fotocopiadora, pero había usado papel carbón, de modo que ya tenía cuatro copias de la hoja de preguntas, en cuya parte superior ponía engañosamente *Departamento de Secciones del Botswana Daily News*. Miró su reloj; eran las doce, y el calor había aumentado haciéndose molesto. Unos cuantos días antes había llovido un poco, pero la tierra había absorbido el agua en un abrir y cerrar de ojos, y ahora pedía más a gritos. Si llovía otra vez, cosa probable, las temperaturas bajarían y la gente se sentiría mejor. En la estación calurosa los temperamentos se volvían irritables y se discutía por minucias. La lluvia ponía paz entre la gente.

Salió del despacho y cerró la puerta. Los aprendices estaban atareados con una vieja furgoneta que había traído una mujer que compraba hortalizas en Lobatsi y las vendía en supermercados. Una amiga suya le había hablado del taller, le había dicho que era un buen sitio para que una mujer llevara su vehículo.

—Me parece que es un taller para mujeres —le había dicho la amiga—, las entienden y las tratan bien. Es el sitio idóneo para que una mujer lleve su coche.

La fama que se habían ganado de saber cuidar de los coches de las mujeres había mantenido ocupados a los aprendices. Bajo las órdenes de mma Makutsi habían respondido bien al reto, quedándose hasta tarde y prestando mucha más atención a lo que hacían. De vez en cuando los supervisaba e insistía en que le explicaran exactamente qué hacían. A ellos les gustaba, y les ayudaba a concentrarse más en el problema que tenían delante. Su capacidad de diagnóstico —un recurso tan importante en el haber de cualquier mecánico— había aumentado considerablemente, y dedicaban menos tiempo a charlar inútilmente de mujeres.

—Nos gusta trabajar para una mujer —le había dicho un día el mayor de los aprendices—. Está bien esto de tener a una mujer observándote todo el rato.

—Me alegro —había repuesto mma Makutsi—. Cada vez trabajáis mejor. Quién sabe, quizás algún día seáis tan conocidos como el señor J. L. B. Matekoni.

Mma Makutsi se acercó a los chicos, que estaban manipulando un filtro de aceite.

—Cuando hayáis acabado, me gustaría que uno de los dos me acompañase a la universidad.

—¡Pero si tenemos un montón de trabajo, mma! —se quejó el más joven—. Aún nos quedan dos coches por arreglar. No podemos estar todo el rato entrando y saliendo. No somos taxistas.

Mma Makutsi suspiró.

—En ese caso, iré en taxi. Tengo que resolver un asunto del concurso de belleza y hablar con algunas de las candidatas.

—Yo la llevaré, mma —se apresuró a decir el aprendiz de más edad—. Ya casi he acabado; el resto puede hacerlo mi compañero.

—De acuerdo —accedió mma Makutsi—. Sabía que podía contar contigo.

Aparcaron a la sombra de un árbol del campus, a no mucha distancia del enorme edificio blanco que le había indicado el hombre de la entrada, cuando mma Makutsi le había enseñado la dirección que buscaba. Había un pequeño grupo de chicas, que charlaba bajo la marquesina que daba sombra a la puerta principal de la construcción de tres plantas. Mma Makutsi dejó al aprendiz en el coche, fue hasta donde estaban las chicas y se presentó.

—Busco a Motlamedi Matluli —anunció—. Me han dicho que vive aquí.

Una de las estudiantes se rió tontamente.

—Sí, vive aquí —afirmó—; aunque creo que le gustaría vivir en un sitio mejor.

—Un sitio como el Sun Hotel —dijo otra, y todas se echaron a reír.

Mma Makutsi sonrió.

—Veo que es una chica muy popular. —Su comentario provocó aún más risas.

—Eso es lo que ella se cree —repuso una de las jóvenes—. Se cree que porque todos los chicos le van detrás es la reina de Gaborone. ¡Tendría que verla!

—¡Me encantaría verla! —se limitó a exclamar mma Makutsi—. He venido para eso.

—La encontrará mirándose al espejo —apuntó otra—. Primera planta, habitación ciento catorce.

Mma Makutsi dio las gracias a sus informantes y subió al primer piso por la escalera de cemento. Se fijó en que había unas palabras poco agradables garabateadas en la pared, que iban dirigidas a una de las estudiantes. Seguro que algún chico, al que habían rechazado, se había desahogado haciendo un grafito. Mma Makutsi se indignó; esos jóvenes eran unos privilegiados —la mayoría de los botsuaneses nunca tendrían la oportunidad de recibir este tipo de formación, de la que el Estado pagaba cada pula, cada thebe—y lo único que se les ocurría era dedicarse a escribir en las paredes. ¿Y Motlamedi? ¿Qué hacía Motlamedi emperifollándose y presentándose a concursos de belleza en lugar de estudiar? Si fuera la rectora de la universidad, les diría a esos chicos que se decidieran, que escogieran entre una cosa u otra: cultivar sus mentes o su corte de pelo. Pero que no podían hacer ambas.

Dio con la habitación ciento catorce y llamó con fuerza a la puerta. Se oía el ruido de una radio en el interior y volvió a llamar, esta vez más fuerte aún.

—¡Está bien! —exclamó una voz—. ¡Ya voy!

Abrió la puerta Motlamedi Matluli. Lo primero que le sorprendió de ella fueron sus ojos, tremendamente grandes. Dominaban su rostro, confiriéndole un aspecto suave e inocente, como las caras de esas diminutas criaturas nocturnas llamadas gálagos.

Motlamedi miró a la visitante de arriba abajo.

—¿Sí, mma? —preguntó con indiferencia—. ¿En qué puedo ayudarla?

Estaba siendo muy grosera, y mma Makutsi se sintió ofendida. «Si esta chica tuviera modales, me habría invitado a pasar —pensó—. Pero, tal como me advirtieron sus compañeras de la entrada, está demasiado ocupada frente al espejo.» El espejo estaba encima de su mesa, rodeado de cremas y lociones.

—Soy periodista —respondió mma Makutsi—. Estoy escribiendo un artículo sobre las finalistas de Miss Belleza e Integridad, y me gustaría hacerte un par de preguntas.

El cambio de actitud de Motlamedi se dejó sentir de inmediato. Rápidamente, y con bastante efusividad, le pidió a mma Makutsi que entrara, sacó la ropa de la silla y la invitó a sentarse.

—No suelo tener el cuarto tan desordenado —confesó riéndose y señalando los montones de ropa que había esparcidos—. Me ha pillado poniendo un poco de orden a todo; ya sabe lo que son estas cosas.

Mma Makutsi asintió. Extrajo el cuestionario de su portafolio y se lo dio a la joven, que lo miró y sonrió.

—Estas preguntas son muy fáciles —declaró—. No es la primera vez que me las hacen.

—Contéstalas, por favor —le pidió mma Makutsi—. Después me gustaría hablar contigo, pero brevemente, para que puedas seguir estudiando.

Hizo este último comentario mientras echaba un vistazo a la habitación; por lo que estaba viendo, no había ni un solo libro.

—Sí —afirmó Motlamedi, disponiéndose a responder al cuestionario—, la verdad es que tenemos mucho que estudiar.

Mientras Motlamedi escribía las respuestas, mma Makutsi examinó con discreción su cabeza. Por desgracia, llevaba el pelo peinado de tal manera que le resultaba imposible ver qué forma tenía. «Incluso al mismo Lombroso le habría costado catalogar a esta persona», se dijo. Pero, en realidad, no importaba; todo lo que había visto en ella, desde su mala educación al saludarla hasta su actitud casi desdeñosa (reprimida en el momento en que mma Makutsi se había presentado como periodista), le indicaba que esta chica no era la indicada para ostentar el título de Miss Belleza e Integridad. Lo más seguro es que no la denunciaran por robar, eso no, pero podía ser la deshonra del certamen y avergonzar al señor Pulani de otras maneras. Probablemente, dando un escándalo con un hombre casado; este tipo de chicas no respetaban el matrimonio y eran capaces de acercarse a cualquier hombre que pudiera favorecer sus carreras, sin que les importara que estuviesen o no casados. «¿Qué clase de ejemplo daría una chica así a la juventud de Botsuana?», se preguntó mma Makutsi. El solo pensamiento la indignaba y se encontró a sí misma sacudiendo la cabeza con desaprobación.

Motlamedi levantó la vista del cuestionario.

—¿Por qué mueve la cabeza, mma? —le preguntó la joven—. ¿Es por algo que he escrito?

—No, en absoluto —se apresuró a contestar mma Makutsi—. Tienes que escribir la verdad, de eso se trata.

Motlamedi sonrió.

—Yo siempre digo la verdad —aseguró—. Desde que era pequeña. No soporto a los mentirosos.

—¿Ah, no?

Acabó de escribir y le pasó la hoja a mma Makutsi.

—Espero no haber tardado demasiado —apuntó—. Sé que ustedes, los periodistas, están muy ocupados.

Mma Makutsi cogió el cuestionario y echó un vistazo a las respuestas.

Primera pregunta: África tiene mucha historia, aunque a mucha gente no le interese. África, entre otras cosas, puede enseñarle al mundo lo que es la preocupación por los demás.

Segunda pregunta: Mi mayor aspiración es trabajar ayudando a los demás. Estoy deseando que llegue el día en que pueda ayudar a más gente. Ésa es una de las razones por las que merezco ganar este concurso: porque me gusta ayudar al prójimo. No soy una persona egoísta.

Tercera pregunta: Es mejor ser íntegra. Una chica honesta tiene riqueza interior. Es la verdad. Las chicas que sólo se preocupan de su aspecto no son tan felices como las que piensan primero en los demás. Lo sé porque formo parte del segundo grupo.

Motlamedi la miró mientras leía.

—Bueno, mma —dijo—. ¿Le gustaría hacerme alguna pregunta sobre algo de lo que he escrito?

Mma Makutsi dobló la hoja y la guardó en su portafolio.

—No será necesario —contestó—. Ya me has dicho todo lo que quería saber. No necesito preguntarte nada más.

Motlamedi parecía nerviosa.

—¿Y si me hacen una foto? —sugirió—. Si el periódico quisiera mandar a un fotógrafo, tal vez podría hacerme una foto. Estaré aquí toda la tarde.

Mma Makutsi se dirigió hacia la puerta.

—No sé —repuso—, es posible. Pero tus respuestas me han sido muy útiles, las incluiré en mi artículo. Tengo la sensación de que te conozco bastante bien.

Motlamedi consideró que podía permitirse ser amable:

—Me alegro de haberla conocido —dijo—. Me encantará volver a verla. Quizá nos veamos en el concurso..., podría llevar a un fotógrafo.

—Quizá sí —fue la respuesta de mma Makutsi, y salió de la habitación.

Cuando mma Makutsi salió del edificio, el aprendiz estaba hablando con un par de chicas. Les estaba explicando algo del coche y ellas le escuchaban ávidamente. Mma Makutsi no oyó la conversación entera, pero llegó al final: «...por lo menos a ciento treinta kilómetros por hora. Y el motor es muy silencioso. Si un chico y una chica están sentados en el asiento trasero y él quiere besarla, tiene que ir con mucho cuidado porque lo oirá quien esté delante».

Las jóvenes se echaron a reír.

—No le escuchéis, chicas —advirtió mma Makutsi—. Este joven no puede verse con mujeres, está casado y tiene tres hijos, y su mujer se enfadará mucho, muchísimo, si se entera de que alguna chica ha hablado con él.

Las estudiantes dieron un paso atrás. Una de ellas miró al aprendiz reprobadamente.

—No es verdad —protestó él—. No estoy casado.

—Eso es lo que decís todos —le reprochó enfadada una de las chicas—. Os presentáis aquí, os ponéis a hablar con nosotras y mientras no dejáis de pensar en vuestras mujeres. ¿Qué manera de comportarse es ésa?

—Una manera pésima —intervino mma Makutsi, y abrió la puerta del coche para entrar en él—. Bueno, tenemos que irnos. Vuestro amigo tiene que acompañarme a otro sitio.

—Vaya con cuidado, mma —le advirtió una de las chicas—. Sabemos cómo son este tipo de hombres.

El aprendiz puso el coche en marcha sin decir esta boca es mía, y arrancó.

—No tendría que haber dicho eso, mma. Me ha puesto en ridículo.

Mma Makutsi le espetó:

—Eres tú quien hace el ridículo. ¿Por qué estás siempre persiguiendo a las chicas? ¿Por qué intentas impresionarlas siempre?

—Porque me gusta —se defendió el aprendiz—. Me gusta hablar con ellas. Este país está lleno de mujeres guapas y nadie les hace caso. Le estoy haciendo un favor a mi país.

Mma Makutsi le miró despectivamente. Aunque los aprendices habían trabajado duro, respondiendo bien a sus sugerencias, parecían tener una debilidad de carácter crónica, una irrefrenable necesidad de galanteo. ¿Podía hacerse algo al respecto? Lo dudaba mucho, pero pensó que esa necesidad se calmaría con el tiempo y se volverían más serios. O tal vez no. La gente no cambiaba. Mma Ramotswe se lo había dicho en una ocasión y se le había quedado grabado: «Las personas no cambian, pero eso no significa que siempre sean iguales. Lo que uno puede hacer es fijarse en sus virtudes y sacarles partido. Entonces nos dará la impresión de que han cambiado, pero no será así, sólo que las veremos diferentes y mejores». Eso es lo que le había dicho mma Ramotswe, o algo parecido. Y si había alguien en Botsuana —una sola persona— a quien valiera la pena escuchar, ésa era mma Ramotswe.

16

La historia del cocinero

Tumbada en la cama, mma Ramotswe miró al techo y clavó la vista en las tablas blancas. Ya no le dolía tanto el estómago, lo peor del mareo había pasado. Pero cuando cerró los ojos y volvió a abrirlos al cabo de un momento, vio que todo estaba envuelto en un anillo de luz blanca, en un halo que osciló unos instantes para luego desaparecer. En otras circunstancias habría sido una sensación agradable, pero aquí, a merced de una envenenadora, la situación era alarmante. ¿Qué sustancia habría utilizado? Mma Ramotswe sabía que había venenos que atacaban el sentido de la vista. De pequeña le habían enseñado qué plantas de la sabana podían cogerse, cuáles eran los arbustos que producían somnolencia, la corteza de qué árbol podía poner fin a un embarazo no deseado, y las raíces que calmaban los picores. Pero había otras plantas, las que usaban los hechiceros para hacer sus remedios, el *muti*; plantas aparentemente inofensivas, que bastaba con tocar para que acabaran con la vida de uno; o eso es lo que le habían contado. No cabía duda de que la nuera había metido una de esas plantas en su plato; o quién sabe si, de manera indiscriminada, la había puesto en una fuente entera de comida, cuyo contenido ella no había probado. Si alguien era suficientemente malo para envenenar a su marido, no tendría inconveniente en hacer lo propio con otras personas.

Mma Ramotswe miró su reloj; eran más de las siete y fuera estaba oscuro. Había estado toda la tarde durmiendo y no tenía ganas de cenar. Pero los anfitriones se estarían preguntando dónde estaba; les diría que no se encontraba bien y que no se reuniría con ellos para cenar.

Se incorporó en la cama y parpadeó. La luz blanca seguía ahí, pero ya se desvanecía. Puso los pies en el suelo, junto a la cama, y los introdujo despacio en sus zapatos, esperando que ningún escorpión se hubiera metido en ellos durante la siesta. Desde que de pequeña, al calzarse una mañana para ir al colegio, le picara un gran escorpión marrón que se había resguardado en sus zapatos para pasar la noche, siempre lo comprobaba. En aquella ocasión se le había hinchado tanto el pie que tuvieron que llevarla al Hospital Holandés Reformado, que estaba en la falda de la colina. Una enfermera le puso un vendaje, le dio algo para el dolor y le aconsejó que mirara siempre en el interior de sus zapatos; algo que había hecho desde entonces.

—Nuestro mundo empieza aquí —le había dicho la enfermera, sosteniendo la mano a la altura del pecho— y el de ellos aquí abajo. No lo olvides.

Más adelante, le pareció que esa advertencia podía aplicarse a más cosas. Porque no se refería únicamente a los escorpiones y las serpientes —acerca de los cuales tenía toda la razón—, sino también, y con la misma validez, a las personas. Dentro del mundo habitado por gente normal y que se sujetaba a las leyes había otro, un submundo de egoísmo y desconfianza formado por intrigantes y manipuladores. Sí, era importante mirar bien dentro de los zapatos.

Volvió a sacar los pies de los zapatos antes de que los dedos llegaran a la punta de éstos. Se agachó, cogió el correspondiente al pie derecho y lo palpó. No había nada. A continuación cogió el otro e hizo lo mismo. Salió de dentro un bicho diminuto y brillante, que durante unos instantes, como si estuviera defendiéndose, bailó en el suelo antes de correr a esconderse en la oscuridad de un rincón.

Mma Ramotswe recorrió el pasillo. Al llegar al final de éste, cuando ya se convertía en el salón, la sirvienta apareció por una puerta y la saludó.

—Ahora mismo iba a buscarla, mma —dijo la criada—. La cena está a punto de servirse.

—Gracias, mma. He estado durmiendo. Ahora estoy mejor, pero no me he encontrado muy bien. No creo que pueda comer nada, pero sí me tomaría un té; estoy sedienta.

La sirvienta se tapó la boca con las manos.

—¡Ay! ¡Eso es terrible, mma! Toda la familia se ha encontrado mal. La señora ha estado indispuesta toda la tarde. Su hijo y su nuera no han parado de dar gritos porque les dolía el estómago. Hasta el chico se ha encontrado mal, aunque no tanto como los demás. La carne debía de estar pasada.

Mma Ramotswe miró con fijeza a la criada.

—¿Así que todos, no?

—Sí, todos. El hijo chillaba amenazando con cargarse al carnicero que les había vendido la carne. Estaba que echaba chispas.

—¿Y su mujer? ¿Cómo estaba?

La sirvienta clavó la vista en el suelo. Los asuntos del estómago humano eran íntimos y le incomodaba hablar de ello abiertamente.

—Lo ha vomitado todo, incluso el agua que le he llevado. Ahora tiene el estómago vacío y supongo que estará algo mejor. He hecho de enfermera toda la tarde, con unos y con otros. También me he asomado a su habitación para ver cómo estaba, y he visto que dormía plácidamente. No sabía que también se encontraba mal.

Mma Ramotswe permaneció un rato callada. La información que le acababa de dar la criada cambiaba la situación por completo. La sospechosa principal, la nuera, también había sido envenenada, al igual que su suegra, asimismo sospechosa. Lo que quería decir que una de dos: o había habido un error en la aplicación del veneno, o ninguna de ellas tenía nada que ver con el tema. De ambas posibilidades, mma Ramotswe creía que la segunda era más probable. Al encontrarse mal había supuesto que el envenenamiento había sido deliberado, pero ¿acaso no habría sido extraño? Pensándolo bien, pasadas las náuseas, la idea de que alguien agrediera a un invitado, de manera tan obvia y con tanta rapidez, parecía ridícula. Habría levantado sospechas, habría sido poco sutil, y los envenenadores, tal como había leído, solían ser extremadamente sutiles.

La criada miró a mma Ramotswe expectante, como si esperara que la invitada tomara el relevo de la responsabilidad de la casa.

—¿Hay alguno que necesite que le vea un médico? —preguntó mma Ramotswe.

—No. Creo que ya están mejor. Pero no sé qué hacer. No paran de gritarme, y no puedo hacer nada si están todos gritándome.

—Sí, no debe de haber sido nada fácil para usted —repuso mma Ramotswe.

Miró a la sirvienta. «No paran de gritarme.» Ella también podía tener sus motivos para hacerlo, pensó, pero era una idea absurda. Esa mujer era honesta. Su cara era franca y siempre sonreía al hablar. Los secretos dejaban sombras en el rostro, y el suyo no tenía ninguna.

—Veamos —dijo mma Ramotswe—, ¿qué le parece si me hace un té? Y luego creo que podría retirarse a su habitación y dejarlos a todos un rato solos. Tal vez mañana griten menos.

La criada sonrió agradecida.

—De acuerdo, mma. Le traeré el té a su cuarto y así podrá volverse a acostar.

Durmió, pero a trompicones. De vez en cuando se despertaba y oía voces en la casa, o ruidos de alguien que se movía, de una puerta que se cerraba o una ventana que se abría; los chirridos propios de una casa vieja por la noche. Poco antes del amanecer, cuando se dio cuenta de que ya no iba a volver a dormirse, se levantó, se puso la bata y salió de la casa. Había un perro frente a la puerta trasera que, aún atontado por el sueño, se acercó a mma Ramotswe y olisqueó sus pies suspicazmente; un pájaro de gran tamaño, que se había posado en el tejado, emprendió el vuelo no sin esfuerzo.

Mma Ramotswe miró a su alrededor. El sol no saldría hasta dentro de una media hora, pero había suficiente luz para vislumbrar las cosas; faltaba poco para que clareara. Los árboles todavía se veían borrosos, eran oscuras siluetas, pero muy pronto sus ramas y sus hojas se verían con todo detalle, como un cuadro que se revelara. Esa hora del día le encantaba, y aquí, en este lugar solitario, lejos de las carreteras, de la gente y de sus ruidos, la belleza de su tierra se apreciaba en todo su esplendor. El sol no tardaría en salir y agrandaría el mundo; pero, de momento, la sabana, el cielo y la tierra misma parecían pequeños y modestos.

Mma Ramotswe respiró profundamente. El olor de la sabana, el olor del polvo y de la hierba impregnaban, como siempre, su corazón; olores a los que ahora había que añadir el del humo procedente de la madera, ese olor acre y maravilloso que se insinuaba a través del aire plácido de la mañana mientras la gente preparaba su desayuno y se calentaba las manos junto al fuego. Se dio la vuelta. Por ahí cerca había una hoguera; sería para calentar el caldero donde se hervía el agua, o tal vez la habría hecho un guardián que había pasado la noche al calor único de unas cuantas brasas.

Anduvo hasta la parte posterior de la casa siguiendo un pequeño sendero marcado con piedras encaladas, una costumbre heredada de los gobernadores coloniales, que blanqueaban las piedras que rodeaban sus campamentos y puestos. Lo habían hecho en toda África, incluso habían encalado la parte inferior de los troncos de los árboles que plantaban en las grandes avenidas. ¿Por qué? Por África.

Dobló la esquina y vio a un hombre acurrucado frente al viejo caldero revestido de ladrillos. Esos calderos eran típicos de las casas antiguas, que no tenían electricidad, y por supuesto necesarios en el campo, donde no había más corriente que la proporcionada por el generador. Era mucho más barato calentar el agua necesaria para la casa en un caldero que usar la energía diesel del generador. De modo que ahí estaban el caldero y la madera, que avivaba el fuego que calentaba el agua para los baños matutinos.

El hombre la vio acercarse y se puso de pie mientras se sacudía los pantalones caqui. Mma Ramotswe lo saludó al estilo tradicional y él contestó educadamente. Era un cuarentón alto, y de facciones pronunciadas y atractivas.

—Ha hecho usted un buen fuego, rra —comentó mma Ramotswe, señalando el calor que emanaba de la parte delantera del caldero.

—Los árboles de esta zona prenden bien —se limitó a decir el hombre—. Y hay muchos; nunca nos falta madera.

Mma Ramtoswe asintió.

—Entonces ¿se dedica usted a esto?

El hombre frunció las cejas.

—A esto y a otras cosas.

—Ya. —El tono de su respuesta la había intrigado. Ese «otras cosas» no había sonado muy convincente—. ¿A qué cosas, rra?

—A cocinar —respondió—. Me ocupo de la cocina; soy el cocinero.

La miró en actitud defensiva, como si esperase alguna réplica.

—Entiendo —dijo mma Ramotswe—. Está bien saber cocinar. En Gaborone hay cocineros magníficos. Los llaman chefs y llevan esos gorros blancos tan peculiares.

El hombre asintió.

—Trabajé de cocinero en un hotel de Gaborone —explicó—. No era el chef, pero sí uno de los segundos. De eso hace ya unos cuantos años.

—¿Y por qué se vino aquí? —le preguntó mma Ramotswe. Resultaba curioso. Seguro que en la ciudad un cocinero cobraba mucho más que en el campo.

El cocinero estiró una pierna y empujó con el pie un trozo de madera dentro de la hoguera.

—Porque no me gustaba —confesó—. No me gustaba entonces y ahora tampoco.

—Entonces ¿por qué lo hace?

Suspiró.

—Es una larga historia, mma. Tardaría mucho en contársela y debo volver al trabajo en cuanto amanezca. Pero, si quiere, puedo explicarle una parte. Siéntese en ese tronco, mma. Así, muy bien. Bueno, ya que está interesada, se lo contaré.

»Soy de allí, de donde está esa colina, de detrás de esa colina, de un pueblo que está a unos dieciséis kilómetros de distancia de la colina. Es un pueblo que nadie conoce, porque no es importante y nunca pasa nada en él. Nadie se fija en él porque sus habitantes son muy tranquilos. Nunca gritan ni arman jaleo. Por eso nunca pasa nada.

»En el pueblo había una escuela con un profesor muy sabio. Tenía otros dos profesores que le ayudaban, pero él era el más importante y todo el mundo prefería escucharle a él que a los demás. Un día me dijo: "Simon, eres un chico muy inteligente. Eres capaz de recordar los nombres de todas las reses y de sus padres y sus madres. Se te da mejor que a nadie. Deberías ir a Gaborone a trabajar".

»A mí no me sorprendía recordar cómo se llamaban las reses, porque el ganado era lo que más me gustaba en el mundo. Me hubiera encantado dedicarme al ganado algún día, pero donde vivíamos era imposible y tuve que pensar en otra cosa. Yo no me veía capacitado para ir a Gaborone, pero cuando cumplí los dieciséis el profesor me dio un poco de dinero, que le había enviado el Gobierno, y con él me compré un billete de autobús para ir a Gaborone. Mi padre no tenía dinero, pero me regaló un reloj que había encontrado un día en el margen de la carretera de alquitrán. Era su posesión más valiosa y me la dio, y me dijo que nada más llegar a Gaborone la vendiera para comprarme comida.

»Yo no quería vender aquel reloj, pero cuando empezó a dolerme el estómago de lo vacío que lo tenía, lo vendí. Como era un buen reloj, me dieron cien pulas, que me gasté en comida para estar fuerte.

»Tardé muchos días en encontrar trabajo, y el dinero, tarde o temprano, se me iba a acabar. Al final, entré a trabajar en un hotel, me ocupaba de llevar las maletas y abrir las puertas a los clientes. Algunos venían desde muy lejos y eran muy ricos. Tenían los bolsillos cargados de dinero. A veces me daban propinas y yo guardaba el dinero en el buzón de correos. ¡Ojalá aún lo tuviera!

»Pasado un tiempo, me enviaron a la cocina, donde ayudaba a los chefs. Vieron que cocinaba bien y me dieron un uniforme. A pesar de que lo odiaba, estuve diez años cocinando allí. Detestaba esas cocinas calurosas y todos esos olores a comida, pero era mi trabajo, y tenía que hacerlo. Y fue mientras estaba en ese hotel que conocí al hermano del hijo que vive aquí. Tal vez sepa a quién me refiero, a ese tan importante que vive en Gaborone. Me dijo que aquí arriba me daría trabajo, que sería el encargado de la finca, y yo me puse muy contento. Le expliqué lo mucho que entendía de ganadería y le aseguré que cuidaría bien de todo.

»Me vine aquí con mi mujer. Ella es de por aquí y estaba encantada de volver. Nos instalaron en una casa muy buena, y mi mujer es muy feliz. Supongo que sabrá lo importante que es que el marido o la mujer de uno estén contentos. Es la única manera de vivir en paz. La única. Mi suegra también está feliz. Vive con nosotros, en la parte trasera de la casa. Se pasa el día cantando de lo contenta que está de tener a su hija y sus nietos con ella.

»Estaba deseando trabajar con el ganado, pero cuando conocí al hijo que vive aquí, me preguntó qué había estado haciendo hasta entonces, y yo le comenté que había sido cocinero. Se puso muy contento al saberlo y me dijo que sería el cocinero de la casa. Que siempre recibían visitas importantes de Gaborone y que les impresionaría ver que tenían un cocinero. Le dije que no quería cocinar, pero no hubo manera. Habló con mi mujer y ella se puso de su parte. Me dijo que éste era un sitio fantástico para vivir y que solamente un idiota rechazaría este trabajo. Mi suegra empezó a llorar, me dijo que ya era muy mayor y que se moriría si volvíamos a irnos. Entonces mi mujer me dijo: "¿Quieres matar a mi madre o qué? ¿Es eso lo que quieres?".

»Así que acepté el puesto de cocinero y sigo rodeado de olores, cuando lo que me gustaría es estar con el ganado. Por eso no soy feliz, mma, aunque mi familia sí lo sea. Es una historia muy rara, ¿verdad?

Acabó su relato y miró apenado a mma Ramotswe. Sus miradas se encontraron brevemente. Mma Ramotswe estaba pensando, la mente le iba muy deprisa, las posibilidades chocaron unas con otras hasta que surgió una hipótesis, la analizó y llegó a una conclusión.

Volvió a mirar al cocinero. Se había levantado y estaba poniéndole la tapa al caldero. Dentro del recipiente de agua, un viejo bidón de gasolina reciclado, se oía el burbujeo del agua caliente. ¿Debía hablar o quedarse callada? Si hablaba, y se equivocaba, el hombre se revolvería contra ella. Pero si no decía nada, perdería la oportunidad. De modo que se decidió.

—Me he quedado con las ganas de decirle algo, rra —comentó.

—¿Sí? —La miró un segundo y siguió ordenando el montón de leña.

—Ayer le vi poniéndole algo a la comida. Usted no me vio, pero yo a usted sí. ¿Por qué lo hizo?

Se quedó helado. Estaba a punto de levantar un gran tronco del suelo, tenía los brazos alrededor de éste y la espalda inclinada, pero entonces, lentamente, lo soltó y se incorporó.

—¿Me vio? —dijo con un hilo de voz, casi inaudible.

Mma Ramotswe esperó unos instantes antes de contestar:

—Sí, le vi. Puso algo en la comida, algo venenoso.

Él la miró, tenía los ojos empañados. Su cara, antes alegre, carecía ahora de expresión.

—No estará intentando matarlos, ¿verdad?

El hombre abrió la boca para responder, pero no pudo emitir sonido alguno.

Mma Ramotswe se creció. Había tomado la decisión correcta; ahora era cuestión de acabar lo que había empezado.

—Sólo quería dejar de ser el cocinero, ¿no es así? Pensó que si su comida no les gustaba, le sacarían de la cocina y podría dedicarse a lo que realmente había venido. ¿Tengo razón?

El hombre asintió.

—Pues ha cometido una estupidez, rra —le riñó mma Ramotswe—. Alguien podría haber salido perjudicado.

—No con lo que usé —repuso—. Era absolutamente inofensivo.

Mma Ramotswe sacudió la cabeza.

—Nunca lo es del todo.

El cocinero se miró las manos.

—No soy un asesino —declaró—. No soy de esa clase de hombres.

Mma Ramotswe resopló y dijo:

—Ha tenido suerte de que yo haya deducido lo que usted estaba haciendo. Naturalmente, ayer no le vi, pero su propia historia le ha delatado.

—¿Y qué pasará ahora? —preguntó el cocinero—. ¿Se lo dirá a esta gente? Llamarán a la policía. Por favor, mma, tengo una familia. Si dejo de trabajar aquí, me costará mucho encontrar otra cosa a estas alturas. Ya tengo cierta edad. No puedo...

Mma Ramotswe alzó una mano para interrumpirle.

—No soy de esa clase de personas —le aseguró—. Les diré que la comida que compró no estaba en buen estado, pero que era imposible que usted lo supiera. Y le diré al hermano de Gaborone que le dé otro trabajo.

—No lo hará —repuso él—. Yo ya se lo pedí.

—Pero yo soy mujer —señaló mma Ramotswe—. Sé cómo convencer a los hombres.

El cocinero sonrió.

—Es usted muy amable, mma.

—Demasiado —precisó mma Ramotswe, volviéndose para dirigirse hacia la casa. Empezaba a salir el sol y los árboles, las colinas y hasta la misma tierra eran dorados. Ese sitio era maravilloso, le habría gustado quedarse. Pero ya no tenía nada más que hacer ahí. Solamente le faltaba hablar con el político, y lo haría a su regreso a Gaborone.

17

Una chica formidable

No había sido difícil determinar que Motlamedi no era apropiada para el importante título de Miss Belleza e Integridad. La lista constaba de tres nombres más, y habría que entrevistar a las tres chicas para formarse un juicio. Puede que no fueran del todo sinceras. A mma Makutsi le costaba mucho saber con certeza cómo era alguien a quien sólo había visto una vez, pero tenía claro que Motlamedi era, simplemente, una *mala chica*. Esta catalogación era muy específica; no tenía nada que ver con ser una *mujer de mala vida* o una *mujer mala*, eran conceptos totalmente diferentes. Las mujeres de mala vida eran las prostitutas; las mujeres malas eran señoras manipuladoras, normalmente casadas con hombres mayores, que se metían en los asuntos de los demás con fines egoístas. La expresión *mala chica*, en cambio, hacía referencia a alguien que solía ser bastante más joven (desde luego menor de treinta años) y a quien lo único que le interesaba era pasarlo bien. Ésa era, en realidad, la esencia de esta categoría: pasarlo bien. De hecho, dentro de la misma había una subcategoría, las *chicas frívolas*. Chicas que uno podía encontrar principalmente en los bares con hombres arrogantes, pasando lo que parecía ser un buen rato. Ni que decir tiene que algunos de estos hombres se consideraban meros pasatiempos, lo que creían que les daba derecho a cometer todo tipo de actos egoístas. Obviamente, mma Makutsi no pensaba así.

En el otro extremo del espectro estaban las *buenas chicas*. Éstas trabajaban duro y eran muy queridas en sus familias. Iban a ver a sus mayores, se ocupaban de los más pequeños, sentándose debajo de un árbol durante horas para verlos jugar, y a su debido tiempo se preparaban para ser enfermeras o, como mma Makutsi, estudiaban secretariado en la Escuela de Secretariado de Botsuana. Por desgracia, estas jóvenes, que se echaban al hombro el peso de medio mundo, no se divertían mucho.

No cabía duda de que Motlamedi no era una buena chica, pero ¿qué posibilidades había, se preguntó mma Makutsi con tristeza, de que alguna de las otras fuera mucho mejor? En primer lugar, la dificultad radicaba en que era poco probable que las buenas chicas participaran en concursos de belleza. Por lo general, no era algo que se les ocurriera hacer. Y, si su pesimismo se confirmaba, ¿qué le diría al señor Pulani cuando fuera a verla en busca de una respuesta? No serviría de mucho decirle que todas eran un desastre y que ninguna merecía el título. Eso sería especialmente inútil porque ni siquiera podría presentarle la minuta por semejante información.

Sentada en el coche con el aprendiz, miró desesperada la lista de nombres.

—¿Adónde vamos ahora? —preguntó el joven. Su tono fue arisco, pero sólo eso: se daba cuenta de que, al fin y al cabo, mma Makutsi seguía siendo la directora en funciones, y de que tanto su compañero como él sentían un respeto considerable por esta extraordinaria mujer que había aparecido en el taller y había dado un vuelco a su forma de trabajar.

Mma Makutsi suspiró.

—Tengo que ir a ver a tres chicas más —contestó—. Y no sé por cuál empezar.

El aprendiz se echó a reír.

—Yo sé mucho de chicas, podría ayudarla.

Mma Makutsi le lanzó una mirada de desdén.

—¡Tú y tus chicas! —exclamó—. ¿Es que no puedes pensar en otra cosa? Tú y el vago de tu amigo. Chicas, chicas y más chicas...

Hizo una pausa. Ciertamente tenía fama de ser un experto en chicas, y Gaborone no era una ciudad muy grande. Cabía la posibilidad, es más, era bastante probable que le sonaran de algo. Si, como se temía, eran malas chicas o, más concretamente, chicas frívolas, puede que el aprendiz se las hubiera encontrado en sus recorridos por los bares. Le indicó que parara en el lateral de la calle.

—Para. Para aquí, que quiero enseñarte esta lista.

El aprendiz contuvo la respiración y cogió la lista. Al leerla sonrió.

—¡Esta lista es estupenda! —exclamó con entusiasmo—. Son algunas de las mejores chicas de la ciudad. Bueno, tres de ellas son las mejores de la ciudad. Son grandes chicas, ya sabe a qué me refiero, grandes y muy guapas. A los chicos nos gustan esta clase de chicas; nos encantan. ¡Sí! ¡Ya lo creo!

A mma Makutsi le brincó el corazón. Su intuición había sido correcta; el aprendiz tenía la respuesta a su pregunta y ahora todo lo que tenía que hacer era sonsacársela.

—Entonces, ¿a cuáles conoces? —le preguntó—. ¿Cuáles son las tres que conoces?

El aprendiz se rió.

—Ésta de aquí —dijo—, se llama Makita. La conozco. Es muy divertida y se ríe mucho, sobre todo cuando le haces cosquillas. ¡Y ésta de aquí es Gladys! ¡Oh, Dios mío! ¡Guau! Una, dos, tres... A esta también la conozco, se llama Motlamedi, bueno es mi hermano el que la conoce. Dice que es una chica muy inteligente y que va a la universidad, pero que no estudia mucho. Tiene mucho cerebro y un gran trasero. Le interesa más estar atractiva.

Mma Makutsi asintió.

—Acabo de estar con ella —comentó—. Tu hermano tiene razón. ¿Y qué me dices de esta otra chica, de Patricia, la que vive en Tlokweng? ¿La conoces?

El aprendiz cabeceó.

—No, no la conozco —respondió, y añadió—: pero seguro que también será muy guapa; nunca se sabe.

Mma Makutsi le quitó la lista de las manos y se la introdujo en el bolsillo del vestido.

—Entonces vayamos a Tlokweng —ordenó—. Tengo que conocer a esta tal Patricia.

Hicieron el trayecto en silencio. Mientras que el aprendiz parecía ensimismado —seguramente estaría pensando en las chicas de la lista—, mma Makutsi pensaba en él. Era muy injusto —pero muy típico de la injusticia de las relaciones entre los sexos— que no hubiera ninguna expresión como la de chica frívola aplicable a jóvenes tan ridículos como este aprendiz. Porque eran tan malos como ellas —si no peores—, y sin embargo nadie parecía culparlos de nada. Nadie hablaba de los *chicos juerguistas*, por ejemplo, ni a nadie se le ocurría decir que un chico de más de doce años fuera un *mal chico*. Como siempre, a las mujeres se les exigía un comportamiento mejor, y de manera inevitable recibían todas las críticas por hacer cosas que los hombres podían hacer impunemente. No era justo; nunca había sido justo y probablemente nunca lo sería. Porque los hombres, aunque estuvieran limitados por una constitución, siempre conseguirían lavarse las manos. Y los jueces considerarían que ésta, en realidad, decía algo bastante distinto de lo que en ella había escrito, y lo interpretarían a favor de los hombres. «Todos, tanto hombres como mujeres, tenemos derecho a ser tratados con igualdad en el trabajo», se convertiría en: «Las mujeres pueden optar a algunos puestos de trabajo, pero no a todos (por su propia seguridad); porque, de todas maneras, los hombres desempeñarán mejor esos cargos».

El porqué de tal comportamiento masculino siempre había sido un misterio para mma Makutsi, aunque últimamente había empezado a vislumbrar una explicación. Pensaba que podía estar relacionado con la forma en que las madres trataban a sus hijos varones. Si las madres les dejaban creer que eran especiales —y, hasta donde mma Makutsi sabía, lo hacían todas las madres—, sus hijos desarrollaban actitudes que ya nunca los abandonarían. Si un niño crecía pensando que las mujeres estaban para cuidarlo, de mayor seguiría pensando lo mismo; de hecho era así. Mma Makutsi lo había visto en tantas ocasiones que no se imaginaba que nadie pudiera cuestionar su teoría seriamente. Sin ir más lejos, el aprendiz era un ejemplo. Una vez su madre había aparecido en el taller con una sandía para su hijo, y mma Makutsi vio cómo la mujer la cortaba y se la daba como si estuviera alimentando a un niño pequeño. Esa madre no tendría que hacer eso; tendría que animar a su hijo a comprarse sus propias sandías y cortarlas él solo. Era precisamente esa forma de tratarlo la que lo hacía tan inmaduro en sus relaciones con las mujeres. Para él eran juguetes, cortadoras de melones, eternas sustitutas de su propia madre.

Llegaron a la parcela 2.456, a la verja de una pequeña y bonita casa de barro, con un espacio destinado a las gallinas y al fondo, curiosamente, dos bidones tradicionales para el grano. Debían de ser para guardar la comida de las gallinas, pensó mma Makutsi; las semillas de sorgo, que cada mañana se esparcían por el patio escrupulosamente barrido, y que las hambrientas aves picoteaban cuando las dejaban salir del corral. Era obvio que ahí vivía una anciana, ya que sólo una anciana se tomaría la molestia de cuidar del patio tanto y de una manera tan tradicional. Tal vez fuera la abuela de Patricia, una de esas africanas admirables que a los ochenta años, e incluso más, seguían trabajando y que eran el centro medular de la familia.

El aprendiz estacionó el coche mientras mma Makutsi recorría el camino que conducía a la casa. Había anunciado su llegada en voz alta, como mandaban las normas de educación, pero creía que no la habían oído; en ese momento apareció una mujer en la puerta, que la saludó afectuosamente mientras se limpiaba las manos con un trapo.

Mma Makutsi le explicó el motivo de su visita. Esta vez no dijo que era periodista; no habría estado bien decir eso ahí, en una casa tradicional; decírselo a esa mujer, que se presentó como la madre de Patricia.

—Me estoy informando sobre las concursantes del certamen —apuntó mma Makutsi—. Me han pedido que las entreviste.

La mujer asintió.

—Sentémonos en la entrada —dijo la madre—, que está a la sombra. Voy a avisar a mi hija. Su cuarto está ahí mismo.

Señaló una puerta que había en el lateral de la casa. La pintura verde que en su día había lucido se estaba descascarillando y las bisagras parecían oxidadas. Aunque el patio estaba bien conservado, daba la impresión de que la casa necesitaba reformas. No debían de andar sobrados de dinero, pensó mma Makutsi, y reflexionó también en lo mucho que el premio podía llegar a significar para la ganadora de Miss Belleza e Integridad en circunstancias como ésa. El premio consistía en cuatro mil pulas, más un vale para comprarse ropa. «Desde luego, no les iría mal», dijo mma Makutsi para sí, al ver el dobladillo deshecho de la falda de la mujer.

Tomó asiento y aceptó el vaso de agua que la mujer le había ofrecido.

—Hoy hace calor —declaró la mujer—, pero pronto lloverá; estoy segura.

—Sí, lloverá —convino mma Makutsi—, necesitamos la lluvia.

—Sí que la necesitamos, mma —repuso la mujer—. Este país siempre necesita agua.

—Estoy de acuerdo con usted, mma. Necesita agua.

Permanecieron unos instantes calladas, pensando en la lluvia. Cuando no llovía, uno pensaba en la lluvia, apenas atreviéndose a desear que empezara el milagro. Y cuando llovía, entonces no podía dejar de pensar en cuánto duraría. «Dios está llorando. Dios está llorando por este país. ¿Lo veis, niños? Éstas son sus lágrimas. La lluvia son sus lágrimas.» Eso es lo que, de pequeña, les había dicho en una ocasión su profesor de Bobonong, y siempre había recordado sus palabras.

—Ésta es mi hija.

Mma Makutsi levantó la mirada. Patricia había aparecido en silencio y estaba frente a ella. Mma Makutsi le sonrió y la joven apartó la vista e hizo una leve reverencia. «¡Ni que yo fuera tan mayor!», pensó mma Makutsi, pero el gesto la había impresionado.

—Siéntate —le dijo su madre—. Esta señora quiere hablar contigo sobre el concurso de belleza.

Patricia asintió.

—Me hace mucha ilusión, mma. Sé que no ganaré, pero me hace mucha ilusión ir.

«Yo no estaría tan segura», dijo mma Makutsi para sí.

—Su tía le ha hecho un vestido precioso para ese día —explicó la madre—. Le ha costado mucho dinero, la tela es una maravilla. Es un gran vestido.

—Pero las otras chicas son más guapas que yo —señaló Patricia—. Y muy inteligentes. Todas viven en Gaborone, incluso hay una que va a la universidad. Ésa sí que es inteligente.

«Y mala», pensó mma Makutsi.

—No tienes que pensar que perderás —comentó su madre—. No es así como hay que ir a un concurso. Si piensas que vas a perder, nunca ganarás. ¿Y si Seretse Kahama hubiera pensado: nunca conseguiremos nada? ¿Qué habría sido de Botsuana? ¿Eh, qué habría sido de ella?

Mma Makutsi se mostró de acuerdo con la mujer.

—Sí, no hay que ir con esa actitud —le dijo—. Tú piensa: puedo ganar. Y tal vez ganes. Nunca se sabe.

Patricia sonrió.

—Tiene usted razón. Intentaré ser más positiva. Haré lo que pueda.

—Estupendo —repuso mma Makutsi—. Y ahora dime, ¿a qué te quieres dedicar?

Hubo silencio. Tanto mma Makutsi como la madre miraron expectantes a Patricia.

—Me gustaría ir a la Escuela de Secretariado de Botsuana —contestó la joven.

Mma Makutsi la miró a los ojos. No mentía. Esta chica era fantástica, y sincera; sin duda, una de las mejores de Botsuana.

—Magnífica escuela —afirmó—. Yo me gradué allí. —Hizo una pausa antes de continuar—: Saqué un noventa y siete por ciento de promedio.

Patricia se quedó boquiabierta.

—¡Guau! ¡Menuda nota, mma! Debe de ser usted muy inteligente.

Mma Makutsi se rió, quitándose importancia.

—¡Qué va! Simplemente, me apliqué.

—Pues está muy bien —afirmó Patricia—. Tiene usted mucha suerte, mma; porque además de guapa, es inteligente.

Mma Makutsi se había quedado sin habla. En realidad, nunca una desconocida le había dicho que fuese guapa. Sus tías le habían dicho que debía sacar partido de su físico, y su madre, algo por el estilo; pero nadie le había dicho nunca que fuese guapa, salvo esta chica, que no había cumplido ni los veinte años y que era realmente guapa.

—Muchas gracias —dijo mma Makutsi.

—Es una buena chica —apuntó la madre—. Siempre ha sido estupenda.

Mma Makutsi sonrió.

—Pues ¿sabe qué le digo? —comentó—. Que creo que tiene muchas posibilidades de ganar este concurso. Es más, estoy segura de que lo ganará. Segurísima.

18

El primer paso

Mma Ramotswe volvió a Gaborone la misma mañana de su conversación con el cocinero, aunque no sin haber hablado antes (con uno de ellos largo y tendido) con más miembros de la familia. Había hablado con la nuera, que la había escuchado atentamente y había bajado la cabeza; con la anciana, que al principio se había mostrado arrogante e inflexible, pero que, finalmente, le había dado la razón a mma Ramotswe, reconociendo que lo que decía era cierto. Y luego se había enfrentado con el hijo, que, copiando la actuación de su madre, la había mirado fijamente y boquiabierto, pero la anciana había intervenido en la conversación para decirle bruscamente cuál era su deber. Después de esto mma Ramotswe estaba exhausta; había corrido riesgos, pero su intuición no le había fallado y su plan había funcionado. Ahora sólo tenía que hablar con una persona más, que estaba en Gaborone, y se temió que tal vez no resultara tan fácil.

El viaje de vuelta fue agradable. Las lluvias de los últimos días habían obrado efecto y la tierra estaba ligeramente teñida de verde. Mma Ramotswe vio un par de charcos en los que el cielo se reflejaba con vetas de color azul plateado. Y el polvo se había asentado, lo que quizás era lo más refrescante de todo; ese polvo fino y omnipresente que hacia el final de la estación seca se esparcía por todas partes, ocupándolo todo y dejando la ropa de uno tiesa y pegajosa.

Fue directamente a Zebra Drive, donde los niños la recibieron entusiasmados, el chico corriendo hacia la pequeña furgoneta blanca y gritando de alegría, y la niña empujando su silla hasta el camino para ver a mma Ramotswe. Asomada a la ventana de la cocina estaba Rose, su asistenta, que había cuidado de los chicos durante su breve ausencia.

Rose preparó el té mientras mma Ramotswe escuchaba las anécdotas que los niños tenían que contarle de la escuela. Había habido un concurso y una compañera de clase había ganado un vale de cincuenta pulas para comprar libros; uno de los profesores se había roto el brazo y había aparecido con el miembro lesionado en cabestrillo, y una niña de unos cuantos cursos inferiores se había comido un tubo de pasta de dientes entero y se había puesto enferma, cosa lógica, ¿no?

Pero había más novedades. Mma Makutsi había llamado desde el despacho y había dejado el recado de que mma Ramotswe la llamara en cuanto llegase a casa al día siguiente, que era cuando la esperaba.

—Parecía muy contenta —apuntó Rose—. Dijo que tenía algo importante que decirle.

Frente a una humeante taza de té, mma Ramotswe marcó el número de Tlokweng Road Speedy Motors, que compartían ambas oficinas. El teléfono sonó unas cuantas veces antes de que oyera la familiar voz de mma Makutsi.

—La Primera Tlokweng Road... —empezó diciendo—. No. La Primera Speedy Femenina...

—Soy yo, mma —la interrumpió mma Ramotswe—, y ya he entendido qué quiere decir.

—Siempre confundo los nombres —comentó mma Makutsi riéndose—. Eso me pasa por intentar dirigir dos negocios a la vez.

—Estoy segura de que lo habrá hecho de maravilla —afirmó mma Ramotswe.

—Bueno, sí —repuso mma Makutsi—. La verdad es que le he llamado para decirle que acabamos de cobrar un montón de dinero por un caso. Dos mil pulas. Y el cliente estaba muy contento.

—¡Bien hecho! —exclamó mma Ramotswe—. Iré dentro de un rato para ver qué tal ha ido todo; pero primero necesito que me organice una entrevista. Llame al político y dígale que venga a verme a las cuatro.

—¿Y si no puede?

—Dígale que tiene que poder, que se trata de algo demasiado importante para esperar.

Se acabó el té y se comió un enorme sándwich de carne que Rose le había preparado. Mma Ramotswe ya no solía comer un plato de comida a mediodía, excepto los fines de semana, y se contentaba con un tentempié o un vaso de leche. Sin embargo, le gustaba mucho lo dulce, de modo que era factible que después del sándwich se tomara un donut o un pastel; al fin y al cabo, era una mujer de complexión tradicional y no tenía que preocuparse de su talla, a diferencia de esas pobres neuróticas que se pasaban el día entero mirándose al espejo y pensando que eran demasiado gordas. De todas formas, ¿dónde estaba el límite? ¿Quién tenía derecho a decirle a alguien qué talla debía usar? Era una forma de dictadura impuesta por los delgados, y no estaba dispuesta a tolerarlo. Si la gente delgada se volvía más insistente, los gordos no tendrían más remedio que sentárseles encima. ¡Sí, así aprenderían! ¡Ja, ja, ja!

Llegó al despacho poco antes de las tres. Los aprendices estaban reparando un coche, pero la saludaron afectuosamente y sin ni pizca de malhumor, de esa hosquedad que tanto la había molestado en el pasado.

—Veo que estáis muy ocupados —les dijo—. ¡Qué coche tan bonito!

El aprendiz de más edad se limpió la boca con la manga.

—Es un coche estupendo. Es de una señora. ¿Sabía que todas las mujeres están trayendo aquí sus coches? ¡Hay tanto trabajo que habrá que contratar aprendices nuevos! ¡Eso sí que será genial! Así nosotros tendremos un despacho y una mesa, mientras los aprendices estarán en el taller haciendo lo que les hayamos ordenado.

—Eres realmente gracioso —señaló mma Ramotswe sonriendo—. Te las estás prometiendo muy felices. Recuerda que no eres más que un aprendiz y que ahora quien manda aquí es esa mujer de ahí, la de las gafas.

El aprendiz se rió.

—Es una buena jefa y nos cae bien. —Hizo una breve pausa, y miró resueltamente a mma Ramotswe—. Pero ¿qué hay del señor J. L. B. Matekoni? ¿Está mejor?

—Todavía es demasiado pronto para saberlo —contestó mma Ramotswe—. El doctor Moffat dijo que las pastillas podían tardar dos semanas en hacer efecto. Tenemos que esperar unos cuantos días más.

—¿Le están cuidando bien?

Mma Ramotswe asintió. Que el aprendiz hubiera hecho esa pregunta era buena señal. Era indicio de que empezaba a interesarse por el bienestar de los demás. Tal vez estuviera madurando. Tal vez mma Makutsi tuviera algo que ver en todo ello, y le hubiera enseñado un poco de ética y de trabajo duro.

Entró en el despacho, donde mma Makutsi estaba hablando por teléfono. Se apresuró a terminar la conversación y se levantó para saludar a su jefa.

—Aquí lo tiene —dijo mma Makutsi, dándole un papel a mma Ramotswe.

Mma Ramotswe miró el cheque. Por lo que se veía, dos mil pulas esperaban a la Primera Agencia Femenina de Detectives en el Standard Bank. En la parte inferior del talón leyó el famoso nombre, que le hizo contener el aliento.

—¿No será el de los concursos de belleza?

—Sí, el mismo —contestó mma Makutsi.

Mma Ramotswe se introdujo el cheque en el corpiño. Los actuales métodos financieros estaban muy bien, pensó, pero a la hora de guardar el dinero todavía había sitios inmejorables.

—¡Pues sí que ha trabajado rápido! —exclamó mma Ramotswe—. ¿De qué se trataba? ¿Problemas conyugales?

—No —contestó mma Makutsi—. Lo que había que hacer era buscar a una candidata que fuera de fiar.

—Curioso —repuso mma Ramotswe—. Y deduzco que la encontró.

—Sí —afirmó mma Makutsi—. Encontré a la chica perfecta para ganar el concurso.

Mma Ramotswe estaba confusa, pero no tenía tiempo material para ahondar en el tema; debía prepararse para la reunión de las cuatro. Durante la hora siguiente, despachó el correo, ayudó a mma Makutsi a archivar papeles relacionados con el taller y se bebió una rápida taza de té de rooibos. Cuando delante de la oficina apareció el gran coche negro del que emergió el político, el despacho ya estaba ordenado y organizado, y mma Makutsi perfectamente sentada frente a su mesa, simulando escribir una carta.

—¡Vaya! —exclamó el político, que se reclinó en la silla y entrelazó las manos encima de su barriga—. Veo que no se ha quedado mucho tiempo en la casa. Deduzco que ya ha pillado a la envenenadora. ¡Espero que la haya pillado!

Mma Ramotswe lanzó una mirada a mma Makutsi. Estaban acostumbradas a la arrogancia masculina, pero este hombre se estaba pasando de la raya.

—Me he quedado el tiempo necesario, rra, ni más ni menos —replicó con tranquilidad—. Y luego he vuelto para discutir el caso con usted.

El político frunció la boca.

—Lo que quiero es una respuesta, mma. No he venido hasta aquí para conversar.

En el fondo de la habitación se oía el fuerte tecleo de la máquina de escribir.

—En ese caso —repuso mma Ramotswe—, puede volver a su despacho. Si no quiere escuchar lo que tengo que decirle, puede irse.

El hombre permaneció callado. Después habló en voz más baja:

—Es usted una mujer muy insolente. Tal vez necesite un marido que le enseñe a hablar a los hombres con respeto.

La intensidad del tictac de la máquina aumentó considerablemente.

—Y usted, una mujer que le enseñe a hablar a las mujeres con respeto —le espetó mma Ramotswe—. Pero no le entretendré más. Ahí tiene la puerta, rra. Está abierta. Ya se puede ir.

El político no se movió.

—¿Es que no me ha oído, rra? No me obligará a echarle, ¿no? Ahí fuera hay dos chicos que de tanto trabajar con motores están muy fuertes. También está mma Makutsi, a la que por cierto ni siquiera ha saludado, y yo. De modo que somos cuatro, y su chófer ya es mayor. Está usted en desventaja, rra.

El hombre seguía sin moverse. Ahora tenía la vista clavada en el suelo.

—¿Y bien, rra? —Mma Ramotswe tamborileó con los dedos sobre la mesa.

El político levantó la mirada.

—Lamento mi grosería, mma.

—Gracias —dijo mma Ramotswe—. Y ahora, después de que haya saludado a mma Makutsi como es debido, al estilo tradicional, por favor, le explicaré lo que tengo que explicarle.

—Le contaré una historia —empezó diciendo mma Ramotswe—: Érase una vez una familia en la que había tres hijos. El padre estaba muy contento de que el primogénito fuese un varón y le dio todo lo que quiso. La madre también se alegraba de haberle dado un hijo a su marido y estaba entusiasmada con él. Luego vino al mundo el segundo hijo, también varón, y se pusieron muy tristes al descubrir que la cabeza no le funcionaba bien. La madre se daba cuenta de lo que la gente decía a sus espaldas, que el niño estaba así porque ella se había ido con otro hombre estando embarazada. Evidentemente, no era cierto, pero tanta maldad hizo mella en ella y acabó avergonzándose de salir a la calle. Sin embargo, el chico era feliz; le gustaba estar con el ganado y contarlo, aunque no contaba demasiado bien.

»El primogénito era muy inteligente y las cosas le fueron bien. Se marchó a Gaborone y consiguió ser un renombrado político. Pero a medida que su poder y su fama aumentaron, se volvió más y más arrogante.

»Nació un tercer hijo, cosa que hizo muy feliz al mayor, que quería mucho a su hermano pequeño. Pero bajo ese amor había miedo, miedo de que ese nuevo hermano le quitara el sitio que ocupaba en la familia y de que fuera el preferido de su padre. Todo lo que hacía el padre lo veía como una prueba de que éste preferiría a su hijo pequeño, lo que, naturalmente, no era verdad; porque el padre quería a todos sus hijos.

»Cuando el hijo pequeño se casó, el mayor se enfadó mucho. No se lo dijo a nadie, pero la indignación le corroía. Su excesivo orgullo le impedía hablarlo con nadie; era un hombre demasiado importante. Creía que su cuñada le separaría de su hermano y le dejaría sin nada, que intentaría arrebatarle la finca y el ganado. No se molestó en preguntarse a sí mismo si su sospecha era fundada o no.

»Empezó a creer que ella planeaba matar a su hermano, ese hermano al que tanto quería. La preocupación le quitaba el sueño, el odio crecía en su interior. De manera que al final fue a ver a una mujer —a mí—, y le pidió que fuese a la casa y obtuviera pruebas de que eso era lo que sucedía.

»En aquel momento la mujer en cuestión ignoraba qué había detrás de todo este asunto, por eso se instaló en la finca, para pasar un tiempo con esta desdichada familia. Habló con todos ellos y descubrió que nadie intentaba matar a nadie; toda la historia del veneno había surgido únicamente porque había un cocinero descontento que se dedicaba a mezclar diferentes hierbas. Y estaba descontento porque el hermano menor le había obligado a hacer tareas que le disgustaban. Así que la mujer de Gaborone habló con todos y cada uno de los miembros de la familia. Después regresó a Gaborone y habló con el primogénito, que fue muy grosero con ella, ya que había adquirido hábitos groseros y estaba acostumbrado a salirse siempre con la suya. Pero ella se dio cuenta de que detrás de una máscara intimidatoria hay siempre una persona asustada e infeliz, y decidió igualmente hablar con él.

»Como se imaginó que él sería incapaz de hablar con su propia familia, se le anticipó. Les explicó cómo se sentía y cómo su amor por su hermano le había hecho dejarse llevar por los celos. La cuñada lo entendió y prometió que haría lo que estuviese en su mano para demostrarle que no le había robado a su hermano. La madre también se mostró comprensiva; se dio cuenta de que tanto ella como su marido habían contribuido a crearle esa ansiedad por perder su parte de la finca, y dijo que se ocuparían del tema. Dijeron que se asegurarían de que todo se dividiera a partes iguales, y que su hijo no tenía que temer el futuro.

»Entonces esta mujer —yo— le dijo a la familia que hablaría con el hijo de Gaborone y que estaba convencida de que él lo entendería todo. También se ofreció a transmitirle cualquier mensaje que quisieran hacerle llegar. Además, comentó que el verdadero veneno en las familias no es el que uno pone en las comidas, sino el que crece en el corazón cuando las personas tienen celos y no saben expresarlos para liberar el veneno.

»De modo que la mujer volvió a la ciudad con unos cuantos mensajes de la familia. El del hermano pequeño decía: "Quiero mucho a mi hermano. Nunca le olvidaré. Y nunca le robaría nada. Las tierras y el ganado son para compartirlas con él". El de la cuñada decía: "Admiro al hermano de mi marido y nunca le arrebataré el amor de hermano que merece". Luego estaba el de la madre: "Estoy muy orgullosa de mi hijo. Aquí hay sitio para todos. Siempre me ha preocupado que mis hijos no estuvieran unidos y que sus mujeres se metieran por medio y nos separaran a todos; pero ya no me preocupa. Por favor, dígale a mi hijo que venga a verme pronto, no me queda mucho tiempo". El padre solamente dijo: "Tengo los mejores hijos que un hombre pudiera desear".

Ya no se oía el tecleo de la máquina de escribir. Mma Ramotswe acabó su relato y observó al político, que estaba bastante quieto, sólo su pecho se movía ligeramente cada vez que inspiraba y espiraba. Después, despacio, se cubrió la cara con una mano, y luego con las dos, y se inclinó hacia delante.

—No se avergüence por llorar, rra —le consoló mma Ramotswe—. Por ahí se empieza. Es el primer paso.

19

Palabras de África

Durante los cuatro días siguientes llovió. Cada tarde se nublaba y, luego, entre deslumbrantes relámpagos y el enorme estruendo de los truenos, la lluvia caía sobre la tierra. Las calles, normalmente tan secas y polvorientas, estaban inundadas y los campos eran extensiones resplandecientes. Pero la tierra, sedienta, no tardó en absorber el agua y reaparecer; aunque al menos la gente supo que el agua estaba ahí, almacenada a buen seguro en el dique y penetrando en la tierra donde estaban los pozos. Todo el mundo parecía aliviado; habría sido muy duro soportar otra sequía, a pesar de que la gente, como siempre, lo habría superado. Decían que el tiempo estaba cambiando y se sentían indefensos. En un país como Botsuana, donde la tierra y los animales dependían de un estrecho margen, cualquier cambio podía resultar desastroso. Pero había llovido, y eso era lo importante.

Tlokweng Road Speedy Motors cada vez tenía más clientes y mma Makutsi decidió que, como directora en funciones, lo único que podía hacer era contratar a otro mecánico durante unos cuantos meses, hasta ver cómo se desarrollaban las cosas. Puso un pequeño anuncio en el periódico y se presentó un hombre, que había trabajado de mecánico de motores diesel en las minas de diamantes y ahora estaba jubilado, ofreciéndose a trabajar tres días a la semana. Se incorporó de inmediato y congenió bien con los aprendices.

—Cuando el señor J. L. B. Matekoni vuelva y le conozca, le gustará —señaló mma Ramotswe.

—¿Cuándo volverá? —preguntó mma Makutsi—. Ya hace más de dos semanas que se fue.

—Pronto. Es mejor que no le demos prisa —apuntó mma Ramotswe.

Aquella misma tarde mma Ramotswe se acercó al orfanato y aparcó la pequeña furgoneta blanca justo delante de la ventana de mma Potokwani. Y mma Potokwani, que la había visto llegar por el camino, ya tenía la tetera calentándose cuando mma Ramotswe llamó a la puerta de su despacho.

—¡Hola, mma Ramotswe! Hacía días que no venía por aquí —la saludó mma Potokwani.

—He estado fuera —repuso ella—. Y luego ha llovido y la carretera estaba llena de barro. No quería quedarme atascada en un barrizal.

—Muy inteligente —dijo la directora del orfanato—. Nosotros tuvimos que pedirles a los huérfanos mayores que empujaran un par de camionetas que se habían quedado atascadas justo a la salida del camino. Y les costó muchísimo. Volvieron cubiertos de lodo y tuvimos que lavarlos en el patio con la manguera.

—Da la impresión de que este año tendremos buenas lluvias —constató mma Ramotswe—. Será estupendo para el país.

La tetera, que estaba en una esquina, empezó a silbar y mma Potokwani se levantó para preparar el té.

—Hoy no hay pastel —advirtió—. Hicimos uno ayer, pero entre todos se lo han comido entero. Se ha acabado en un santiamén.

—La gente es muy glotona —afirmó mma Ramotswe—. Me habría gustado tomar un trozo, pero no pienso quedarme aquí sentada dándole vueltas al asunto.

Tomaron el té en un agradable silencio. Entonces mma Ramotswe habló:

—Había pensado llevarme al señor J. L. B. Matekoni a dar un paseo en la furgoneta —comentó—. ¿Cree que le apetecerá?

Mma Potokwani sonrió.

—Seguro que sí. Desde que llegó aquí no ha estado muy comunicativo, pero sí he observado que ha hecho algo, y creo que es muy buena señal.

—¿El qué?

—Nos ha estado ayudando con ese niño, ¿recuerda? —preguntó mma Potokwani—. Aquel del que le hablé para ver si podía averiguar alguna cosa.

—Sí, lo recuerdo.

—¿Averiguó algo? —quiso saber mma Potokwani.

—No he averiguado nada —contestó mma Ramotswe—. Me parece que no hay mucho que averiguar, pero se me ha ocurrido algo. Bueno, es sólo una idea.

Mma Potokwani se puso una cucharada más de azúcar en el té y lo revolvió con la cuchara.

—¿Ah, sí? Adelante.

Mma Ramotswe arqueó las cejas.

—No, no creo que mi idea sirva de algo. Sí, seguro que no serviría de nada.

Mma Potokwani se acercó la taza a los labios. Dio un gran sorbo de té y volvió a dejarla cuidadosamente sobre la mesa.

—Me parece que ya sé a qué se refiere, mma —dijo la directora del orfanato—. Yo también lo he pensado, pero no puedo creerlo. Es imposible que sea cierto.

Mma Ramotswe sacudió la cabeza.

—Eso me he dicho a mí misma. La gente siempre habla de estas cosas, pero nunca se ha demostrado, ¿no? Aseguran que hay niños salvajes y que de vez en cuando alguien da con uno. Pero ¿acaso han comprobado que hayan sido realmente criados por animales? ¿Existe alguna prueba?

—Que yo sepa, no —contestó mma Potokwani.

—Y si le comentamos a alguien lo que pensamos de este chico, ¿qué pasará? Saldrá en todos los periódicos, vendrá gente de todo el mundo y, probablemente, intentarán llevárselo a algún sitio donde puedan examinarlo. Se lo llevarían de Botsuana.

—No —repuso mma Potokwani—, el Gobierno no lo consentiría.

—No sé, tal vez sí. Nunca se sabe.

Permanecieron en silencio. Después habló mma Ramotswe:

—Creo que hay cosas que es mejor dejarlas como están —concluyó—. No es necesario saberlo todo.

—Estoy de acuerdo —convino la directora del orfanato—. A veces es más fácil ser feliz, si no se sabe todo.

Mma Ramotswe reflexionó unos instantes. La idea era interesante, pero no estaba segura de que fuera cierta en todos los casos; pensaría más en ello, aunque en otro momento. Ahora tenía algo más urgente que hacer: llevarse al señor J. L. B. Matekoni a Mochudi, subir con él al *kopje*, la colina, y contemplar desde allí la llanura. Estaba convencida de que le encantaría ver toda el agua que había caído; le animaría.

—Creo que al señor J. L. B. Matekoni le ha ido bien ayudar a ese niño —dijo mma Potokwani—. Así ha tenido algo que hacer. Le ha enseñado a usar un tirachinas y a decir algunas palabras. Ha sido muy cariñoso con él; y yo diría que eso es buena señal.

Mma Ramotswe sonrió. Se imaginó al señor J. L. B. Matekoni enseñándole al niño salvaje cómo se llamaban las cosas que le rodeaban; enseñándole las palabras que conformaban su mundo, las palabras de África.

El señor J. L. B. Matekoni no habló mucho durante el trayecto hacia Mochudi; permaneció sentado en el asiento contiguo al de mma Ramotswe, mirando fijamente por la ventana, contemplando las llanuras que se extendían ante él y a los demás viajeros de la carretera. Sin embargo, hizo un par de comentarios, e incluso se interesó por el taller, cosa que no había hecho la última vez que mma Ramotswe le había visitado en su tranquila habitación del orfanato.

—Espero que mma Makutsi esté controlando a esos dos aprendices —observó—. Son un par de vagos; no piensan más que en mujeres.

—Y siguen haciéndolo —replicó ella—, pero los está obligando a trabajar duro y están respondiendo bien.

Llegaron al desvío de Mochudi y pronto estuvieron en la calle que los conduciría directamente al hospital, el *kgotla*, y al *kopje* de cumbre achatada que había detrás de éste.

—¿Por qué no subimos la colina? —sugirió mma Ramotswe—. Desde arriba la vista es espléndida. Así podremos ver los cambios que han producido las lluvias.

—Estoy demasiado cansado para escalar —confesó el señor J. L. B. Matekoni—. Suba usted. Yo la esperaré aquí.

—No —repuso ella—. Subiremos los dos; cójase a mi brazo.

La subida no duró mucho rato y muy pronto se encontraron en el borde de una enorme extensión rocosa, desde donde se abarcaba con la mirada toda Mochudi: la iglesia, con su tejado de cinc rojo; el diminuto hospital, donde, con pocos recursos para combatir poderosos enemigos, se llevaban a cabo las heroicas batallas diarias; y, a lo lejos, las llanuras del sur. El río se deslizaba, tranquila y perezosamente, serpenteando entre los montones de árboles y arbustos, y los grupos dispersos de viviendas que formaban la ciudad. Un pequeño rebaño de reses era guiado a lo largo de un sendero cercano al río, y desde la cumbre el ganado se veía diminuto, como si fueran juguetes. Pero el viento soplaba de cara y podían percibir el sonido de sus cencerros, un sonido distante y suave, que tanto les recordaba la sabana, su hogar. Mma Ramotswe permaneció inmóvil; era una mujer sentada en una roca africana, que estaba donde quería estar y se alegraba de ser quien era.

—Mire —dijo—, mire ahí abajo. En esa casa vivíamos mi padre y yo. Ahí está mi hogar.

El señor J. L. B. Matekoni miró y sonrió. Sonrió; y ella se dio cuenta.

—Creo que ya se encuentra algo mejor, ¿verdad? —le preguntó.

El señor J. L. B. Matekoni asintió con la cabeza.

áfrica
áfrica áfrica
áfrica áfrica áfrica
áfrica áfrica
áfrica

Visite nuestra web en: